De geheime opdracht

Liedje op p. 25:
met dank aan Hanna Fleer, mijn dochter

Toegekend door KPC Groep te 's-Hertogenbosch

1e druk 2007

ISBN 978-90-276-7394-7
NUR 283

© 2007 Tekst: Mireille Geus
Illustraties: Juliette de Wit
Omslagfoto: Marijn Olislagers
Vormgeving: Eefje Kuijl
Uitgeverij Zwijsen B.V., Tilburg

Voor België:
Zwijsen-Infoboek, Meerhout
D/2007/1919/190

De geheime opdracht

Mireille Geus
Met tekeningen van Juliette de Wit

Zwijsen

Inhoud

1. Een avond om nooit te vergeten 7
2. Hoe het begon 9
3. Het animatieteam 12
4. De poster 15
5. De meidenaanmelding 17
6. De jongensaanmelding 19
7. De tweeling 21
8. Het verhaal van de stok 22
9. We kiezen Wing 24
10. Wel en niet 26
11. Het snijden van de stok 29
12. Sok kwijt? 31
13. Meneer Verwoerd 34
14. Buitenaardse wezens? 36
15. Ruzie 38
16. Pauze 41
17. Dansen in de kring 44
18. Bureau vermiste sokken 47
19. Het politiebureau, dat zoek ik 49
20. Op zoek naar meneer Verwoerd 51
21. De sok van Dirk 53
22. Paul 56
23. Wie is aan de beurt? 58
24. Waar ben ik? 60
25. Te veel letters 63

26. Weer op het politiebureau 65

27. Op zoek 67

28. Nu meteen 70

29. Bij het vuur 72

30. Een lijst met vindplaatsen 73

31. Prijs? 75

32. Gevonden 78

33. Het huis van meneer Verwoerd 81

34. Ons vermistesokkenbureau 83

35. Plan B 84

36. Inschrijven, inkerven 87

37. Toeval 89

38. Onverwacht 91

39. Vragen? 93

40. De prijzen 95

41. Wachten 97

42. Wie wint de geheime opdracht? 100

1   Een avond om nooit te vergeten

'Dit is DE avond,' zegt Wing en hij wrijft in zijn grote handen, 'Hier hebben we allemaal op gewacht.'

Nu het donker begint te worden, lijkt hij nog meer op een indiaan dan overdag.

'Hebben jullie er net zo'n zin in als wij?' vraagt Jimmy.

Hij kijkt naar de gezichten die zich rondom het kampvuur hebben verzameld en knikt ondertussen met zijn blonde hoofd vol rastavlechten van ja. De vlechten zwaaien zwierig om zijn hoofd.

'Waarom zitten jullie hier vanavond?' vraagt Wing. 'Wat verwachten jullie?' Niemand zegt wat.

Wing maakt met zijn handen een koker voor zijn mond en roept 'Halloooooo!'

'We weten het niet,' zegt een jongen die net zijn voortanden heeft gewisseld.

'Het is een geheim,' zegt het meisje naast hem zacht, ze heeft heel lang blond haar, 'Een geheime opdracht.'

'Nee, een uitdaging,' zegt een grotere jongen hard, 'Er stond op de poster: *Wie gaat de uitdaging aan?*

'Wat voor een uitdaging?' vraagt Wing.

Niemand zegt wat.

'Dat weten we dus niet,' zegt het meisje naast hem zacht.

Weer maakt Wing van zijn handen een toeter en schreeuwt:

'Halloooooo! Wakker worden! Het kampvuur is niet om bij te slapen. Zien jullie hoe mooi het vuur is? Horen jullie het hout krachtig branden? Heb ik geregeld, met mijn indianenbloed.'

'Ik ben zenuwachtig,' zegt Jimmy, 'Wie gaat onze wedstrijd winnen?'

'Ik snap het niet,' zegt een klein meisje met sproeten,

'Wanneer gaat het nou eindelijk beginnen?'

Ze begint zacht te huilen.

'Zie je nou, Jimmy,' zegt Wing en hij aait het meisje zacht over haar gladde haar, 'We moeten het nodig allemaal nog eens vertellen. Onze kleine Katinka begrijpt er niks meer van.'

'Je hebt gelijk,' zegt Jimmy, 'Pak jij de stokken en de *marshmallows*. Dan maken we er een avond van om nooit te vergeten, dat weet ik zeker!'

2 Hoe het begon

Het is de eerste week van de zomervakantie op de camping. Alle ouders en kinderen zien elkaar weer. Het is druk bij de snackbar, druk bij de douches, druk op het grote veld. De volwassenen lachen, omhelzen elkaar en kletsen. De kinderen stoeien, spelen en gillen. Iedereen lijkt blij. Ze gaan het er weer lekker van nemen deze zomer. Niet te moeilijk doen en als het weer een beetje meezit, is het helemaal super.

Vanavond zal het animatieteam zich voorstellen.

'Ga jij?' vraagt Els, de moeder van Evelien, aan Asha, de moeder van Amita. Ze staan in de rij bij de snackbar. Bolle Bert bakt zo snel hij kan, maar nog groeit de rij, zo veel mensen hebben honger op precies hetzelfde moment.

Evelien en Amita hebben elkaar al gevonden en plakken plaatjes in een stickerboek van een heel bekende meidengroep. Ze gaan er samen helemaal in op.

'Ik niet,' zegt Asha, de moeder van Amita, 'Ik ken ze al.'

'D'r schijnen nieuwe bij te zijn,' zegt Els.

'Ik vind het best,' zegt Asha en ze schudt haar donkere haar los, 'Als ze mij maar niet lastigvallen.'

Ze begint te lachen en Els lacht mee.

'Kom je straks wat bij mij drinken?' vraagt Asha, 'Als de kinderen naar het team zijn?' Dat spreken ze af.

'Kijk, die moet daar,' zegt Evelien en ze trekt de sticker los.

Amita houdt het boek ondersteboven. Ze knikt blij. 'Daar was ik nou al tijden naar op zoek!'

Ze heeft net zulk donker haar als haar moeder, maar zij draagt het in een staart.

'Maar het is wel een gekke, een halve,' zegt Evelien, 'Niet vreemd dat je het niet zag!'

'Zullen we straks naast elkaar gaan zitten?' vraagt Amita.

'Tuurlijk,' zegt Evelien en ze geeft Amita opeens een dikke klapzoen op haar wang.

Wat verderop staan de ouders van Wallace de voortent vast te zetten. Het gaat niet snel, ze hebben geen haast en iedereen stopt en kletst en gaat even op de plastic stoelen zitten die al om de tafel staan. De verhalen worden verteld.

Kees moest in december naar het ziekenhuis voor z'n knie, nu gaat het weer, maar rustig aan, hè? De verjaardag van Rosalie was in het water gevallen en dat was zo sneu. Het hele jaar heeft de auto al kuren, ze moeten eigenlijk een andere, maar ja … Wallace heeft zijn C-diploma gehaald. Waar Wallace nu is?

Wallace zit in de caravan. Met zijn hele magere slungelige twaalfjarige lijf zit hij voorovergebogen en knipt zijn teennagels. Aandachtig. Zijn donkere haar valt over zijn voorhoofd, hij volgt de gesprekken buiten niet.

'Wallace?' roept zijn moeder Wilma, 'Kom je even?'

Wallace hoort het pas als zijn moeder haar hoofd om de hoek van de caravan heeft gestoken.

Hij staat onwillig op en komt naar buiten.

De man en de vrouw die nu op de stoelen zitten, schudden hem hartelijk de hand.

'Wallace, jongen,' zegt de man, die Hans heet, 'Wat ben jij gegroeid!'

'Hoe is het?' vraagt de vrouw, die Astrid heet, 'Zal ik straks aan Timo vragen of hij even bij je langs loopt?'

Wallace knikt vaag en gaat snel de caravan weer in.

'Moeten jullie niet eens aan een echte caravan?' vraagt Siegfried aan Monique en Max die hun vouwwagen staan uit te klappen.

'Siegfried, hoe gaat het?' vraagt Max en hij loopt naar hem toe om hem een hand te geven.

'Ik meen het,' zegt Siegfried, 'Zo'n ding is geen tent en geen caravan, dus net niks. Misschien kan ik wel wat voor jullie regelen. Jullie kinderen liggen altijd maar in een tentje ernaast, dat blijft toch blauwbekken.'

Monique komt ook dichterbij. 'Vorig jaar wel,' zegt ze.

Ze denkt aan die koude nachten, de kinderen kwamen met ijskoude voeten vragen of ze bij hen konden slapen. Ze lieten ze maar binnen, maar Monique sliep de hele nacht niet, het was krap en ze was bang dat de bodem hen allemaal niet zou houden.

'Wat heb je dan?' vraagt ze.

'Een ouwetje van mijn collega, of zeg liever, van mijn baas. Hij heeft een nieuwe gekocht en wil die ouwe wel kwijt voor een zacht prijsje. Ik kan hem zo bellen,' zegt Siegfried.

'Dat moeten we even overleggen,' zegt Monique.

'We hebben geen cent,' zegt Max.

'Begrijpelijk,' zegt Siegfried, 'En waar is de tweeling?'

'Wouter en Isabel zijn een ijsje halen, ze waren wat oververhit na die lange autorit,' antwoordt Monique.

'Ze sloegen elkaar de hersens in,' zegt Max en zucht.

'Van mij mag dat animatieteam bij ons komen wónen, dan zijn de kinderen tenminste rustig.'

3 Het animatieteam

Die avond zitten Evelien en Amita gezellig naast elkaar als het animatieteam zich voorstelt en de activiteiten voor de eerste week vertelt.

Bijna alle kinderen van de camping hebben zich verzameld.

Het zijn er bijna vijftig in totaal, en van alle leeftijden.

Rob, die al twee jaar de leiding heeft over het animatieteam, staat al op het grote podium.

'Welkom!' roept hij door de microfoon, die een heel lange draad heeft en meteen gaat piepen. 'Welkom!' zegt hij wat zachter. 'Ik zie allemaal bekende gezichten.'

Hij loopt naar de tweeling Wouter en Isabel, die elkaar net in de haren gevlogen zijn.

'Wouter, dag knul,' zegt Rob, 'Wil jij mij even helpen?'

Wouter staat op.

'Als jij ervoor zorgt dat deze draad nergens achter blijft haken, dan ben ik je dankbaar.'

Wouter knikt.

'We gaan dit jaar weer leuke dingen doen, gekke dingen, maffe dingen, avontuurlijke dingen voor elk wat wils.

Dit zijn jullie mensen voor deze zomer! Geef ze een geweldig applaus!'

Hij maakt een weids armgebaar en zeven mensen komen het podium op. De kinderen klappen luid.

Rob gaat verder: 'Voor deze weken hebben we weer leeftijdsgroepen gemaakt, je mag alleen meedoen als je de juiste leeftijd hebt voor de activiteit. In de leiding zitten veel vertrouwde gezichten, zoals jullie zien, en ook een enkel nieuw gezicht. Daar staan Jimmy en Wing en straks zullen ze zichzelf voorstellen.

Sandra werkt deze zomer met de jongste kinderen, net als vorig jaar, en ik geef haar graag het woord. Zij zal in het kort vertellen wat ze deze week van plan is.'

Wallace wordt door zijn moeder op een bankje geduwd. Hij had geen zin om te komen, maar het moest toch. Liever wil hij gewoon z'n eigen gang gaan. Doen waar hij zelf zin in heeft.

Zijn ogen blijven steken bij de twee nieuwelingen van het animatieteam die net zijn voorgesteld. Wing is een enorm grote, brede en lange man die wel een indiaan lijkt. Zijn huid is donker, zijn lange zwarte haar is strak naar achteren getrokken en hij draagt het in een staart. Ook al heeft hij gewoon een spijkerbroek aan, hij ziet er heel anders uit dan de andere mensen van het animatieteam.

Naast hem staat de man die is voorgesteld als Jimmy. Jimmy is lang en slank en ziet er sterk uit. Hij heeft blonde rastavlechten die bijeen zijn gebonden door een oranje touw. Ze staan er samen heel ontspannen, bijna slaperig bij.

Sandra praat ondertussen over ezeltje prik, schminken en een waterspel. Dan komt Sylvie aan de beurt. Ze praat heel snel, bijna niemand kan haar verstaan, maar dat geeft niet, want het programma komt ook op het grote bord naast de kantine te hangen.

Timo schuift naast Wallace. 'Waar was je nou? Ik ben twee keer bij je caravan geweest vanmiddag.'

'Ik zat binnen,' zegt Wallace naar waarheid, 'Ik had geen zin.'

'Kan je dat toch zeggen?' zegt Timo, 'En nu, heb je nu wel zin in mij?'

'Ssst!' zegt Wallace.

Wing en Jimmy stappen naar voren.

Timo staat beledigd op, maar Wallace pakt hem snel bij zijn capuchon en trekt hem naast zich. 'Zitten,' zegt Wallace, 'Straks gaan we spelen, oké?' Hij knikt naar de mannen die het woord nemen. 'Nu even dit.'

'Halloooo!' zegt de rastaman, 'Ik ben Jimmy en ik ben hier nieuw.'

'Halloooo!' zegt de indiaan, 'Ik ben Wing en ik ben hier ook nieuw. Wij doen dit jaar een gave activiteit en die heet: de geheime opdracht.'

Jimmy rolt een postertje uit, niemand kan het lezen.

'Alles staat hierop, dus dat moeten jullie straks maar lezen.'

'Dan valt er verder niks meer te zeggen,' zegt Wing en loopt terug naar zijn plek.

'Lezen dus!' zegt Jimmy. Hij rolt het postertje op en gaat naast Wing staan.

4   De poster

DE GEHEIME OPDRACHT

Wie gaat de uitdaging aan?

• Wil je eens heel wat anders doen?

-Heb je zin om de hele vakantie met 1 ding bezig te zijn?

• Wil je het tegen een ander team opnemen?
Creatief????

-Ben je niet BANG?

• Wil je de laatste avond aan iedereen vertellen wat je gedaan hebt?

-Kun je een geheim bewaren?

• Mooie prijzen!!

Nieuwsgierig???

Kom langs bij de tipi van Wing en Jimmy.
Geef je als tweetal op voor een gesprek.

Groetjes van Wing en Jimmy

'Zo begon de geheime opdracht,' vertelt Jimmy, 'Zes weken geleden alweer.'

Jimmy rolt de poster op. Hij helpt een kind een *marshmallow* te roosteren in het kampvuur.

'Heel veel kinderen vonden het niks,' zegt Wing, 'Dat hoorden we van de andere mensen in het team.

Jullie deden liever mee met duidelijke activiteiten.'

'Schilderen op nummers,' zegt Jimmy.

'Niet zoiets vaags, onduidelijks, spannends en onrustbarends als de geheime opdracht,' zegt Wing, 'Maar er kwamen zes kinderen, drie tweetallen in onze tipi.

Wallace en Timo, de tweeling Wouter en Isabel en de mooie hartsvriendinnen Evelien en Amita.

We legden aan hen uit dat ze de hele zomer met dit project bezig zouden zijn, dat ze zelfwerkzaam en creatief moesten zijn, dat ze niet mee mochten doen met de andere activiteiten en dat ze hun opdracht aan niemand mochten vertellen.'

'Natuurlijk was er een uitzondering op die regel,' zegt Jimmy. 'Ze mochten één volwassene in vertrouwen nemen en om hulp vragen.'

'Regels zijn leuk,' zegt Wing, 'Maar uitzonderingen nog leuker! En vanavond hebben we onze kanjers hier, om ons en jullie te vertellen wat ze gedaan hebben. Geef ze een applaus, want hier komen ze!'

5 De meidenaanmelding

'We gingen een heel rare tent in,' zegt Evelien.

'Die tipi van hen,' zegt Amita, en ze wijst op Jimmy en Wing, 'Die indianentent. Er brandde midden in de tent gewoon een vuur. Gelukkig zat er bovenin een gat.'

Evelien begint zenuwachtig te lachen en Amita doet mee. Als ze uitgelachen zijn, gaat Evelien verder.

'Wing en Jimmy lagen op de grond op een dierenvel. Ze stelden heel gekke vragen.'

'Ja,' zegt Amita, 'Als je een poes en een cavia had als huisdier, en je moest er één doodmaken, welke zou het dan worden? Niet één, zei ik meteen, dat moet nooit. Ik wou bijna niet meer meedoen.'

'Ik zei m'n cavia,' zegt Evelien, 'Want m'n poes zal waarschijnlijk langer leven en daar heb ik toch ietsje meer plezier van, omdat hij ook zelf op schoot komt. En ze vroegen ook, wat zou je nooit doen.'

'Iemand vermoorden, zei ik meteen,' zegt Amita.

'Toen knikte ik,' zegt Evelien, 'Zulke vragen dus. Toen iedereen geweest was, werden we weer naar binnen geroepen. Wing zei dat we waren uitgekozen. Hij gaf ons een envelop.

"Hierin zit jullie geheime opdracht," zei hij.

Amita en ik stormden naar buiten en scheurden de envelop open. Dit zat erin.'

Ze houdt een papiertje omhoog.

'Er staat: *Een groot zwart gat speciaal voor sokken.* En: Goed nieuws van het sokkenfront. Het is inderdaad een wereldwijd verspreid fenomeen: sokkenparen die zich op een zeker moment op geheimzinnige wijze voorgoed van elkaar gescheiden weten, doordat de ene sok "even een pakje sigaretten om de hoek ging halen".'

'Het gaat over mensen die hun sokken kwijtraken,' zegt Amita, 'Steeds één sok, heel vaak hun lievelingssok en ze vinden hem nooit meer terug, niet in de wasmand, niet in de droger, niet aan de waslijn, niet in hun kledingkast, nergens. Wat kinderachtig, dacht ik. Maar mensen over de hele wereld zijn bezig met de vraag hoe dat komt. Heel gewone mensen en ook heel geleerde mensen aan universiteiten enzovoort.'

'En nu moesten wij er wat mee,' zegt Evelien.

'Maar wat?' vraagt Amita.

Spoorloos: die ene sok. Geef niet direct je partner de schuld, want de werkelijkheid is natuurlijk weer veel ingewikkelder. En onderschat die machtige sokkenlobby niet.

Een groot zwart gat, speciaal voor sokken

Goed nieuws van het sokken-front. Het is inderdaad een wijd-verbreid fenomeen: sokkenparen die zich op zeker moment op geheimzinnige wijze voorgoed van elkaar ge-scheiden weten doordat de ene sok 'even een pakje sigaretten om de hoek ging halen'.

Frans Jansen (39, Amsterdam) spreekt van een verschijnsel van kosmische proporties. Er moet volgens hem en zijn vrouw een zwart gat zijn in het heelal, spe-ciaal voor sokken.

Regina Teunen (42, Utrecht) meldt dat er een internationaal *Bureau of Missing Socks* bestaat dat onderzoekt waarom het nou juist altijd sokken overkomt. Alle mogelijke verklaringen voor het mysterie worden er na-geplozen. Liefst zeven aangeslo-ten universiteiten onderzoeken of er occulte dan wel buiten-aardse praktijken mee gemoeid zijn, of dat er sprake is van een samenzwering om de bescha-ving te ontwrichten.

Het bureau beschikt voorts over een database, waarin achtergela-ten sokken aan een nieuwe part-ner kunnen worden gekoppeld. Op www.funbureau.com valt er meer over te lezen, schrijft Regina.

Uit: Volkskrant magazine, 12 april 2003

6   De jongensaanmelding

'Ons stelden ze ook vreemde vragen, hoor,' zegt Timo.

'Wat we het ergste vonden stinken, tenenkaas of bedorven kaas,' zegt Wallace.

'Tenenkaas natuurlijk, zei ik meteen,' zegt Timo.

'En ik zei bedorven kaas,' zegt Wallace. 'Ga maar eens ruiken aan bedorven Franse kaas of Engelse kaas, vreselijk, bah!'

'Ik dacht gewoon aan Hollandse kaas,' zegt Timo, 'Dat stinkt niet zo, je kan gewoon even de schimmel erafsnijden en dan weer eten …'

'Maar goed, we werden dus ook uitgekozen,' zegt Wallace.

Timo houdt een geel papiertje omhoog.

'Onze opdracht: *Vermist staatslot prikkelt fantasie*. Bijna een jaar geleden werd bij een Rotterdamse tabakswinkel een staatslot gekocht waarop een half miljoen is gevallen. De eigenaar van het lot heeft zich nog niet gemeld en dan valt het geld weer terug in de prijzenpot. De eigenaar moet gevonden worden. En snel.

Een paar mensen hebben al gebeld met de staatsloterij met heel mooie verhalen waarom dat lot van hen is. Auto-inbraken, en er was iemand die zei dat hij het lot onder een steen in de fietsenstalling had gelegd en dat het ineens weg was.

De loterij geeft alleen het geld als iemand een kopie heeft van het lot of het lot zelf. En als het kwijt is geraakt, moet iemand daarvoor naar de politie zijn gegaan en die moet een proces-verbaal hebben geschreven.

Onze opdracht was dus kort en goed, zoek de persoon met het winnende lot. En snel!'

'Hoe we daarmee de hele zomer bezig konden zijn, begreep ik niet,' zegt Wallace. Hij veegt langzaam een donkere haarlok uit zijn ogen. 'We moesten naar Rotterdam! Dat ligt niet naast de deur. Toch moesten we ernaartoe.'

'Maar hoe? En waar precies moesten we zijn?' voegt Timo eraan toe

Vermist staatslot prikkelt fantasie

Twintig mensen zeggen eigenaar te zijn van het lot dat bij de trekking op 2 augustus vorig jaar een half miljoen opleverde. Een Rotterdamse tabakswinkelier verkocht het fortuinlijke lot, maar een winnaar meldde zich niet. Vorige week plaatste de Staatsloterij een oproep in de hoop de eigenaar van het lot met nummer BP 059278 te vinden.

De Staatsloterij kreeg een aantal zeer fantasierijke verhalen te horen van mensen die het lot claimden. ,,Ik had het lot onder een steen van de fietsenstalling gelegd en ineens was het weg", is een van de verklaringen.

Er kwamen ook aannemelijke meldingen binnen. A. de Lange van de Staatsloterij: ,,Verhalen van auto-inbraken waarbij behalve de cd-speler ook een aantal staatsloten was gestolen zijn wel geloofwaardig. Het komt wel vaker voor dat staatsloten worden gestolen. Maar ook de dief heeft zich niet gemeld."

Geen van de twintig 'eigenaars' kon bewijzen de eigenaar te zijn van het winnende lot. ,,Wij keren mogelijk alleen uit als we een kopie van het lot of het lot zelf zien", aldus De Lange. ,,Bovendien willen wij ook graag een proces-verbaal zien, waarop de vermissing van het lot geregistreerd staat. Er is in februari 1999 wel aangifte gedaan van vermissing van een staatslot, maar ook dat bleek niet het winnende exemplaar."

Veel kopers van staatsloten hebben hun laden afgezocht naar het lot. Bij de 4000 verkooppunten werden hierdoor veel kleinere prijzen opgehaald, die al een tijd klaar lagen. De winnaar heeft nog tot en met donderdag de tijd om zich te melden. Anders vervalt de prijs aan de Staat der Nederlanden.

Uit: Trouw.

20

7 De tweeling

Wing snijdt heel voorzichtig met een scherp mes in een stok. Het vuur voor hen knettert gezellig en geeft veel warmte af. De donkerblauwe gloed geeft de gezichten om het vuur een spookachtig aanzien.

'Wat is het?' vraagt een grotere jongen.

'Twee degens die kruisen,' zegt Wing. Hij wijst naar Timo en Wallace. 'Dat doen zij.'

Wing pakt nog een stok en begint ook daarop twee degens uit te snijden.

'Eén voor hem,' wijst Wing, 'En één voor hem.'

'De tweeling, Wouter en Isabel, kwam vechtend de tipi binnen voor hun gesprek,' zegt Jimmy.

'En ze gingen vechtend weer naar buiten,' zegt Wing. 'Daarom kozen wij hen niet uit. Je moet echt wat kunnen voor de geheime opdracht.'

'Veel meer dan alleen ruziemaken,' zegt Wing.

'Dat was jouw schuld,' zegt Wouter en hij trekt aan het haar van zijn zus. 'Jij begon over zoiets stoms!'

'Au!' schreeuwt Isabel en ze geeft hem een stomp.

'Ophouden!' zegt Jimmy en trekt ze uit elkaar, 'Het is hun avond.' Hij wijst naar Amita en Evelien en naar Wouter en Timo.

'Ze hebben er hard voor gewerkt,' zegt Jimmy.

'En wij ook,' zucht Wing, 'Binnen tien minuten stonden de meiden voor onze neus, wat ze ermee moesten, met die opdracht. Het leek mij toen goed om een verhaal te vertellen,' zegt Wing.

'Het verhaal gaat zo.'

8 Het verhaal van de stok

'De stok die je hier ziet, is niet zomaar een stok. Dit is mijn stok, waar verhalen in wonen. Verhalen van mijn leven, verhalen die hout snijden. Ha, ha!

Kijk, zie je dat hier, waar lijkt het op?

Een molen, zeg je, dat klopt, het is een molen.

Het staat voor Nederland, mijn aankomst in Nederland. Op een koude dag landde mijn vliegtuig hier. Ik kwam voor een vrouw naar Amsterdam.

Ze stond mij op te wachten met een warme jas in de hand.

En dat daar, is een ster, een grote ster en die staat voor mijn vader, die een ster is geworden in de grote machtige lucht.

Ik kijk elke avond naar de lucht en meestal kan ik zijn plek wel vinden, dan knipoog ik naar boven en hij knipoogt terug.

En deze lange streep met de schuine strepen eroverheen, dat is een litteken.

Ik ben geopereerd, een paar jaar terug, en dit litteken lijkt op het mijne, maar dit litteken staat ook voor de nare dingen in het leven, nare dingen die erbij horen.

Je moet deze stok zien als het leven zelf, je kiest, je komt van het een in het ander, je leert, je verandert van gedachten, je verliest mensen of dingen, je gaat verder en steeds komt er op de stok een tekentje bij, een symbool.

Dus alles wat jullie gaan doen, is goed, als je maar iets doet.'

Een wandelstok voor een verhaal

Wandelstokken zijn overal ter wereld te koop, in alle soorten en kwaliteiten. Behalve bij Marco Mout (36) in Antwerpen. Voor geld alleen snijdt hij geen stok geen ijsbijl of staf. Mout is een hartstochtelijk houtsnijder, maar de klant moet met een verhaal komen dat hout snijdt.

door Michiel Slütter

IJDENS één van zijn fietsreizen had Marco Mout even geen zin om verder te gaan. Op een Frans dorpspleintje, in de schaduw van platanen, raapte hij vijf jaar geleden een blokje hout op van de straat en begon te snijden.

Mout: 'Een man zat naar mij te kijken en zei: u bent een *artisan*.' Mout verzekerde hem dat hij alleen uit verveling een beeldje aan het maken was en dat hij zeker geen handwerksman was. De man liet zich niet vermurwen en wilde het beeldje hebben. 'Aan het eind van de middag heb ik dat beeldje aan hem verkocht voor honderd gulden.'

Vorig jaar wilde weer iemand iets van Mout kopen. Op dat moment was hij bezig met een wereldreis. 'Ik had tien jaar in de media gewerkt, geld gespaard en had erg veel zin om op reis te voor een paar dagen van de fiets stapte. Hij liep met een zelfgemaakte wandelstok in de bergen en kwam een paar bergbeklimmers tegen. Eén van hen was onder de indruk van de ingekerfde versieringen en figuren en wilde voor het hele gezelschap stokken bestellen. 'Hij zei: ik betaal je nu, stuur je later maar op.'

Mout nam de opdracht met plezier aan en sloeg aan het snijden. Met vier stokken die uit zijn fietstassen staken, trok hij verder. Hij vormde zo'n opvallende verschijning dat in de plaatselijke *Otago Daily Times* een foto van hem verscheen.

Hij ging langs bij de Maori's, die bekend staan om hun houtsnijkunst. 'Het viel me op dat de vrouwen mij helemaal niet aankeken. Ik wist eerst niet waarom dat was, maar later bleek dat het aan mijn stokken lag.' Volgens Maori-gebruik moeten vrouwen eerst toestemming van de houtsnijder krijgen, voordat ze naar zijn werk mogen kijken.

Met de Maori's wisselde hij technieken en ervaringen uit. Zij leerden hem hoe hij Paraschelpen moet bewerken. In een van zijn stokken heeft hij een strookje ingelegd met die veelkleurige schelpen. 'Hoe ik dat heb gedaan, ga ik niet verklappen.'

Op weg naar huis liep Mout in de Alpen een Italiaanse wandelaar tegen het lijf, die ook al weer een stok wilde hebben. 'Tegen die Italiaan zei ik, dat ik alleen een stok ging snijden als hij een verhaal zou vertellen.' Vervolgens heb ik twee uur met hem zitten praten.' De Italiaan vertelde dat hij bezig was met een voettocht van Italië naar Polen.

Mout vond het een boeiende onderneming en wilde wel een stok voor de Italiaan maken. De klant moet een verhaal vertellen. Dat is de harde eis die Mout aan elke klant stelt. 'Het moet niet over drie weken Center Parcs gaan; daar komt geen stok uit.' Een levensboom of een New Age-verhaal kunnen Mout evenmin interesseren. 'Ik ben nogal *down to earth.*'

Uit: de Volkskrant 5 juni 1999

9   We kiezen Wing

'In het krantenbericht over de sokken stond een website, www. funbureau.com,' zegt Evelien. 'Daar wilden we op kijken. Dat leek ons een goed idee.'

'We gingen naar het kantoortje van de camping,' zegt Amita, 'En we vroegen of we op internet mochten. Dat mocht.'

'Maar toen we het hadden aangeklikt, stond alles in het Engels. We begrepen er niks van!' zegt Evelien.

'Wij terug naar Jimmy en Wing in de tipi.'

'En ik vroeg of ze ons wilden helpen om de website te lezen,' zegt Amita.

'Wing keek ons lang aan,' vervolgt Evelien, 'Toen vroeg hij of hij dan die ene volwassene was, die we in vertrouwen wilden nemen.'

'Dus ik zei meteen ja,' zegt Amita, 'Maar Evelien vond dat we erover na moesten denken.'

'Wij naar buiten,' zegt Evelien. 'Als we nu voor Wing kiezen, zei ik, dan kiezen we niet meer voor een ander.'

'Wie wil je dan, vroeg ik,' zegt Amita. '"Wing," zei Evelien meteen. We moesten er erg om lachen.

We gingen naar binnen en zeiden oké tegen Wing. Hij liep met ons mee naar het kantoortje en we hebben die hele middag en de middag erna met Wing achter de computer gezeten.'

'Hij heeft ons alles wat er op de website stond uitgelegd,' zegt Evelien. 'Het is een heel leuke site en we hebben er heel veel ideeën voor onze eigen zomer vandaan gehaald.

Als je op de site komt, is er een kastje, een bureau. En dat is het bureau van de vermiste sokken. Overal staan laatjes die je kunt opentrekken.

Een van de laatjes is een laatje met een liedje. Het is een liedje over hoe naar het is als je een sok kwijt bent. Wij vonden het een mooi liedje en we besloten er zelf ook een te schrijven.'

Amita staat op, pakt een gitaar en tokkelt wat. Iedereen rond het kampvuur zit stil, is stil.

Evelien telt af, samen zingen ze:

Gisteren was alles oké
Ik trok mijn sokken aan
Het waren er gewoon twee

Refrein:

Mijn sok is weg
Ik moet bijna huilen
Mijn sok is weg
Wat raar is dat
Mijn sok is weg
Pas had ik hem nog
Mijn sok is weg
Ik wou dat ik 'm had.

Vandaag heb ik er één
Wat heb je daaraan
Dan heb ik er liever geen

Amita laat haar gitaar zakken. Evelien kijkt een beetje verlegen naar beneden. Dan begint iedereen keihard te klappen. 'Dat wordt een hit!' roept Jimmy.

10 Wel en niet

'Wij moesten dus met de trein naar Rotterdam,' zegt Timo.

'Om de winnaar te zoeken,' zegt Wallace.

'Wallace, die slimmerd, wou alle huizen in heel Rotterdam langs,' zegt Timo, 'Dan ben je wel even bezig.'

'Mijn moeder koopt altijd staatsloten,' zegt Wallace zacht. 'Thuis prikt ze die op het prikbord in de keuken, maar in de caravan liggen ze in een laatje. We gingen daarin kijken en er lagen er twee. Eén van een paar maanden geleden en één van deze maand. Ik keek achterop en daar stond een telefoonnummer.

Mijn moeder wil niet dat ik mobiel bel, maar ik zei dat het voor de geheime opdracht was en toen mocht het.'

'Ik belde,' zegt Timo, 'Het is een betaald nummer en je kreeg meteen een lang keuzemenu.

De mevrouw aan de lijn was heel aardig, maar wist niet of een winkelier zelf kon weten dat hij een winnend lot had verkocht. We moesten een e-mail sturen naar de klantenservice en dan kregen we vanzelf antwoord.'

Ondertussen schudt Timo keihard nee met zijn hoofd.

'Onze zomer begon met wachten en dat haten we allebei,' gaat Wallace door, 'We gingen dus de tipi in en zagen Jimmy liggen, hij sliep. We kuchten net zolang tot hij één oog opendeed en we vroegen of hij ons kon helpen.

"Ben ik jullie man?" vroeg Jimmy nog slaperig. We knikten en Jimmy sprong op en vroeg wat hij kon doen.

De mobiel van mijn moeder kon ik niet blijven gebruiken,' zegt Wallace, 'Maar we moesten veel bellen. Alle tabakswinkels in Rotterdam, met de vraag of zij het winnende lot hadden verkocht.'

'We gingen naar het kantoor van de camping en daar zagen we Evelien en Amita zitten,' zegt Timo.

'Hij ziet vooral Evelien zitten,' zegt Wallace en nu zegt Timo even helemaal niks. 'Gelukkig hebben ze daar veel telefoonboeken, en ook die van Rotterdam, voorin zit een bedrijvengids dus wij zoeken op de T.'

'Hónderden,' zegt Timo.

'Wij vroegen of Jimmy nog eens wilde bellen met de klantenservice,' vertelt Wallace. 'Jimmy vroeg het iets anders dan wij, en tegen Jimmy wilde de mevrouw opeens wel de naam van de tabakswinkelier noemen. Hij schreef het adres op en we gingen op weg. Het was heel druk in de trein en we moesten heel lang staan.'

'Voor de deur bij de tabakswinkel zei Jimmy dat we het verder weer alleen moesten doen,' zegt Timo. 'We stapten naar binnen en vroegen aan de winkelier of hij een lot verkocht had, bijna een jaar geleden, waar een half miljoen op is gevallen.

"Hebben jullie het?" vroeg de man blij. Hij kwam meteen achter zijn toonbank vandaan.'

'Ik geloof dat hij ons wou gaan zoenen,' rilt Wallace.

'Dus we schudden alle twee uit alle macht nee!'

'Ik vroeg: Weet u aan wie u het winnende lot verkocht heeft?' zegt Timo. 'En tot onze verbazing knikte hij.'

'Opgelost! dacht ik nog, dat wordt verder een saaie zomer,' zegt Wallace. 'Ik weet niet meer of ik daar nou blij mee was of niet, al doe ik graag waar ik zin in heb.

De winkelier vroeg of we tijd hadden en bood ons een kop thee aan.'

'"Meneer Verwoerd, hij is het," zei de winkelier toen,' vertelt Timo, 'Ik vroeg dus meteen: Waarom weet die man dat dan nog niet? Ik kon die winkelier wel door elkaar schudden,' zegt Timo. 'Hij zat daar maar, zo rustig aan zijn bak thee. Als hij het zo zeker wist, had hij toch minstens de man even op kunnen zoeken?

"Weg," zei de winkelier, "meneer Verwoerd is verdwenen, zomaar opeens."

Weg zomaar? Hoe kan dat nou? Ik werd gewoon een beetje kwaad,' zegt Timo.

'Zoals altijd,' zegt Wallace.

'Niet,' zegt Timo.

'Wel,' zegt Wallace.

'Niet,' zegt Timo weer fel.

'Wel,' zegt Wallace, 'Jij bent altijd boos of onderweg boos te worden.'

'En jij bent altijd zielig of onderweg het te worden,' zegt Timo.

'Niet,' zegt Wallace.

'Wel,' zegt Timo.

'Lekker niet,' zegt Wallace.

'Kunnen jullie nu ophouden?' vraagt Wing.

Dat kunnen ze.

'Het kampvuur krijgt het nog koud van jullie,' zegt Jimmy en hij kruipt er dichter naartoe.

11 Het snijden van de stok

Wing kijkt op van het snijden van een stok. Deze keer snijdt hij
heel precies een gitaar uit. Dat doet hij ook bij de andere stok.

'Is dat voor Amita?' vraagt Katinka, het meisje dat eerder
moest huilen en nu vlak naast Wing zit.

Wing knikt. 'En voor Evelien,' zegt hij.

'Krijgen zij ieder een eigen stok?' vraagt Katinka.

Weer knikt Wing.

Hij kijkt de kring die om het kampvuur zit rond.

'Wie heeft er nog meer vragen?'

Drie vingers gaan tegelijk de lucht in.

'Kijk eens aan!' zegt Wing verrast. Hij wijst naast zich.

'Katinka, zeg jij het maar, vind je het nu wel leuk en
begrijp je het een beetje?'

Katinka knikt.

'Zie je, Jimmy, we zijn nu goed bezig,' zegt Wing.

Jimmy stopt net een *marshmallow* in zijn mond.

'En wat wil je vragen?' vraagt Wing aan Katinka.

'Ik moet plassen,' zegt ze, 'En ik durf niet alleen. Het is al zo
donker.'

'Wie loopt er even met haar mee?' vraagt Jimmy met zijn
mond vol.

Het meisje naast Katinka staat meteen op en pakt haar hand.
Meteen staan er nog drie kinderen op.

'Ho, ho wat gaan jullie doen?' vraagt Jimmy.

'Jullie vinden het toch niet stom wat hier gebeurt?' vraagt
Wing.

'Neee!' klinkt het luid, 'Leuk, maar wij moeten ook.'

'Wat?' vraagt Wing.

'Plassen!' klinkt het als uit één mond.

'Zeiken? Jullie alle vier? Tjonge, wat een zeikerds zijn jullie!' Meteen slaat Wing zijn hand voor zijn mond.

'Sorry, sorry, ik heb niks gezegd.' De kring giechelt.

'Maar wie heeft een vraag?' zegt Wing, 'Een echte?'

'Hebben jullie een leuke zomer gehad?' vraagt de grotere jongen aan het viertal, 'Was het echt de moeite waard?'

'Goeie vraag!' zegt Wing, 'En wat is het antwoord?'

Hij doet of hij een microfoon in zijn hand heeft en loopt ermee naar het viertal.

'Wie kan ik het woord geven? Wie?'

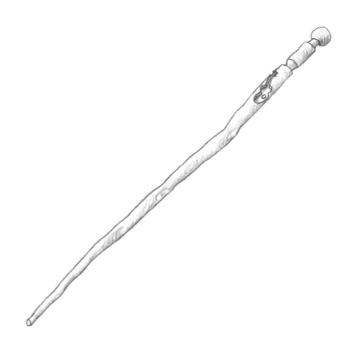

12 Sok kwijt?

'Ik vind dat jullie straks zelf maar moeten zeggen of het de moeite waard was,' zegt Amita, 'Of Wing en Jimmy.'

'Dit is een wedstrijd,' zegt Evelien. 'Als wij zeggen dat we een superzomer hebben gehad, dan beïnvloeden we de jury.' Zacht applaus klinkt op.

'Om te weten waar je het beste je sok kan zoeken, moet je eerst een sok kwijt zijn,' zegt Amita.

'Dan heb je het meest zin om te zoeken, echt goed te zoeken,' zegt Evelien.

'Maar wij waren geen sok kwijt,' zegt Amita, 'Bij mij in de caravan hebben we een roze plastic mand, daar zitten alle paren in. We hebben ze een voor een uit elkaar gehaald; sommige roken niet echt fris. Andere waren aan de onderkant heel dun. Of de bovenkant lubberde, of er zat een gat in bij de teen. Maar alle paren waren compleet.'

'Bij mij hetzelfde,' zegt Evelien. 'Mijn vader en moeder zijn niet weg te slaan bij de caravan. Ze zitten er steeds voor of erin en we moesten onze opdracht geheimhouden, dus heb ik toen maar gewoon gevraagd of ze even weg wilden gaan, omdat we voor de opdracht alleen in de caravan moesten zijn.

"Het moet niet gekker worden," zei m'n moeder Els, maar ze gingen wel en ze namen ook voor ons een ijsje mee.'

'In die tussentijd hebben we ook alle sokken bij haar uitgezocht,' vertelt Amita.

'We waren snel klaar, want we hadden maar negen paar. Voor ieder drie,' zegt Evelien. 'Eén paar aan, één paar in de was en één als reserve.

We moesten een sok zien kwijt te raken, maar hoe? Een hele dag probeerden we het. We gingen badminton spelen en trokken onze sokken uit. Na een uurtje deden we er ieder één aan en lieten de andere liggen.

Maar een jochie tikte ons op de rug en hield de twee verschillende sokken in zijn hand.

Hij vroeg: "Doen jullie een spel, mag ik meedoen?"

Er gaat een vinger omhoog bij het kampvuur, van een jongetje, Wing wijst naar hem.

'Ik,' zegt het jongetje, 'Ik gaf ze hun sok terug.'

Met een piepende stem zegt hij: 'Maar ik wist toch niet dat ze hun sok wilden kwijtraken? Hoe kon ik dat nou weten? Ik dacht dat ze Pippi Langkous gingen nadoen, met rare sokken aan of zo.'

'Dat was dus niet zo,' zegt Amita kattig.

'Tijd voor de jongens,' zegt Jimmy.

'Nog even,' zegt Evelien, 'We moeten nog vertellen wat we verder deden om een sok kwijt te raken.

We gingen douchen en vergaten een sok in het hokje. Maar we waren het washok nog niet uit of iemand riep: "Meisjes, jullie zijn wat vergeten!"

'Zo ging het steeds,' zegt Amita. 'Aan het eind van de dag hadden we allebei al onze sokken nog en toen hebben we een sok verstopt.'

'Ik onder mijn bed,' zegt Evelien.

'En ik heb 'm in elkaar gefrommeld en achtergelaten in de speeltuin onder de wip,' zegt Amita.

'Ik ben mijn sok ongeveer drie dagen zogenaamd kwijt geweest, want ik wist toch steeds waar die was,' zegt Evelien.

'Mijn sok lag de volgende dag niet meer onder de wip. Ik heb met mijn voet even het zand omgewoeld, maar niks dus ik was al helemaal blij, tot Evelien op onderzoek uit ging,' zegt Amita en kijkt haar vuil aan.

Evelien zegt verontwaardigd: 'Ja, maar jij vond het goed!'

Amita zucht.

'We wilden echt zeker weten of de sok kwijt was,' zegt Evelien, 'Dus ging ik naar het kantoor en vroeg of ik in de bak met gevonden voorwerpen mocht kijken. Dat mocht natuurlijk. Jullie moeten er straks of morgen vroeg allemaal maar eens langs, want wat daar allemaal in zit! Jassen, truien, sjaals, sweatshirts, hele mooie, en ook nogal wat sokken. Het hele zootje bij elkaar is geen pretje voor je neus, maar ik zag wel de sok van Amita. Een blauw frommeltje, het kwijtraken was dus mislukt.

We moesten iets anders verzinnen.'

13 Meneer Verwoerd

'Zeg, zijn wij niet weer eens aan de beurt?' vraagt Wallace. 'De meisjes mogen steeds veel langer vertellen.'

'Jullie trekken ze voor,' zegt Timo. 'Wij zitten net bij die winkelier aan de thee en horen dat hij weet wie het lot heeft.'

'Meneer Verwoerd dus,' zegt Wallace.

'Wij trekken niemand voor,' zegt Jimmy, 'En jullie zijn nu aan de beurt, dus vertel.'

Timo haalt diep adem en begint.

'De winkelier zei dat meneer Verwoerd al jaren in de wijk woonde en vaste klant was. Elke twee, drie dagen haalde hij shag en vloei. Soms nam hij een krantje mee, soms een pakje kauwgom, soms een staatslot.'

'Ongeveer vier maanden geleden kwam meneer Verwoerd opeens niet meer in de winkel,' gaat Wallace verder.

'Als hij op vakantie was gegaan, dan had de winkelier het geweten, maar meneer Verwoerd ging nooit op vakantie. De winkelier begon zich af te vragen of hij iets verkeerds had gezegd, maar dat had hij niet en trouwens zoveel praten deden ze niet. Meestal kwam het gesprek niet verder dan: lekker weertje, hè?'

'Gezwam dus,' zegt Timo, 'Maar de winkelier wilde toch wel weten waar zijn vaste klantje was. Hij is drie keer aan de deur geweest, maar niks hoor. Niemand deed open, niemand was thuis, alles donker.

Toen kwam dat hele verhaal over dat staatslot. De winkelier kwam erachter dat hij een superstaatslot had verkocht, er was een half miljoen op gevallen. Weken wachtte hij met een flesje champagne achter in de koelkast op de winnaar. Maar die kwam niet.

Op een nacht droomde de winkelier. In zijn droom kwam meneer Verwoerd zijn zaak binnen en kocht een lot. Toen schrok de winkelier wakker en wist het zeker. Meneer Verwoerd had het lot! Hij droomde wel vaker iets wat heel belangrijk bleek te zijn. Opeens zag hij zichzelf weer meneer Verwoerd het lot aangeven. Hij wilde een acht als eindcijfer, omdat een week zeven dagen heeft en het er beter acht konden zijn en de prijs was op een lot gevallen met eindcijfer acht.

Die avond belde de winkelier weer aan bij meneer Verwoerd. En, toen die weer niet opendeed, bij de buren. Hij vertelde wat hij wist, over het lot. De buren werden heel druk en blij, en wisten ook niet waar hun buurman was. Ze hadden verder geen idee wat ze konden doen om hem te helpen, maar ze wilden het geld best zolang even bewaren, voor hun lieve, lieve buurman.'

'Gezwam dus,' zegt Wallace.

'Toen vroeg ik,' zegt Timo, 'Moet u dat niet allemaal aan de politie vertellen zodat ze hem kunnen gaan zoeken? Hij moet gevonden worden!

De winkelier zei lang niks en toen heel zacht: "Ik weet het natuurlijk niet zeker, misschien is hij gewoon even weg, hij is een volwassen man."'

'Toen zei ik dat wij naar de politie zouden gaan,' zegt Wallace.

'Maar eerst gingen we op weg naar zijn huis,' zegt Timo.

14 Buitenaardse wezens?

'We hadden dus met Wing op de site van dat funbureau gekeken, dat bureau dat allemaal laatjes heeft,' zegt Evelien, 'Dat www. funbureau.com.'

'Wat wij wilden weten, echt wilden weten, is hoe het komt dat sokken kwijtraken,' zegt Amita.

'Op de site stonden een paar oorzaken,' gaat Evelien verder, 'Bijvoorbeeld dat er wasmachines zijn die sokken eten of dat je soms je witte sok in de witte was doet en de ander per ongeluk bij de rode was terechtkomt, dan passen ze niet meer bij elkaar.'

Katinka steekt haar vinger op. 'Dat is bij mij gebeurd,' zegt ze.

Nog twee kinderen steken hun hand op: 'Bij mij ook.'

'Het gebeurt vrij vaak,' zegt Amita. 'Wat ook wel gebeurt, is dat een sok uit de wasmand valt, op zolder terechtkomt en daar meegenomen wordt door een muis, voor in het nest. Maar op de site stond ook dat sommige mensen zelfs denken dat buitenaardse wezens iets met onze sokken doen. Of een ander idee is dat sokken levende organismen zijn. In het larfstadium. Elke larf groeit in de biologische cyclus uit tot een draadkleerhanger.'

'Ho, ho ho,' roept Jimmy, 'Dat gaat allemaal even te snel, of ben ik de enige hier die er niks van snapt?

Kijk, dat van die wasmachine die honger heeft en een in de was verdwaalde sok, dat snap ik wel. Maar buitenaardse wezens? Je bedoelt echt buitenaardse wezens, Marsmannetjes?'

Wing kijkt ook stomverbaasd. 'Levende organismen in een larfstadium? Halloooo!'

'Bij die levende organismen moet je je zoiets als een vlinder voorstellen,' zegt Evelien, 'Eerst is er het eitje, daarin groeit de larf, uit de dooier.'

'De larf heet ook wel rups,' zegt Amita, 'Die gaat groeien en vier keer vervellen. Dan gaat de rups zich inspinnen als een pop en hangt een week of drie stil.'

'Op een mooie dag komt er een vlinder uit,' zegt Evelien.

'Bij een sok denken sommigen er ook zo over,' zegt Amita, 'Het lijkt of de sok niet leeft, maar hij leeft wel en wordt langzaam iets anders.'

'Een sok wordt een kleerhanger,' zegt Jimmy en tikt op zijn voorhoofd. 'Ja, hoor!'

'Wij zeggen ook niet dat het zo is,' zegt Evelien, 'We lazen het alleen maar op de site, hoor.'

'Goed, dat snap ik nu,' zegt Jimmy, 'Maar hoe zit het dan met die buitenaardse wezens?'

'Sommige mensen denken dat buitenaardse wezens een sok nodig hebben om iets te doen,' zegt Evelien.

'Wat moeten ze ermee doen?' vraagt Jimmy.

Hij trekt een sok uit en wappert ermee, ruikt eraan, trekt dan een heel vies gezicht en vraagt het nog een keer.

'Ze willen onze beschaving ontwrichten,' zegt Amita.

'Dat is niet kinderachtig,' zegt Jimmy.

'Waarom?' vraagt Wing. 'Wat hebben ze eraan?'

Amita en Evelien halen hun schouders op.

'Dat weten we niet. Dat stond allemaal op die site.'

'En we konden die buitenaardse wezens niet bellen,' zegt Evelien.

Iedereen lacht. Dapper geworden door het gelach zegt ze: 'Ze waren in gesprek.'

'Nee,' zegt Amita, 'We geloven er natuurlijk niks van.'

Evelien schudt ook haar hoofd. 'Maar er zijn in Amerika wel heel knappe mensen die dus echt denken dat …'

'Maar de meeste sokken verdwijnen gewoon thuis en niemand weet hoe dat kan,' zegt ze, 'Daar willen wij meer van weten!'

15   Ruzie

Jimmy staart in het vuur en vraagt of er nog iemand *marshmallows* wil.

Niemand wil meer, bijna iedereen is er al misselijk van, zoveel hebben ze er op.

'Wij gingen naar het huis van meneer Verwoerd,' zegt Timo. 'De winkelier had goed uitgelegd waar het was en het was vlak bij de winkel. Jimmy liep wel mee, maar zei niks en ging meteen op het stoepje zitten naast de voordeur.'

'We belden aan,' zegt Wallace, 'We dachten al dat hij niet open zou doen en dat was ook zo.'

Wing snijdt een huis in de stok.

'We belden bij de buren aan,' zegt Wallace. 'Ze waren heel blij en aardig, zoals de winkelier al gezegd had, maar ook zij wisten niks. We moeten naar de politie, zei ik.'

'Daar had ik geen zin in,' zegt Timo.

'Ik wel, dus toen kregen we ruzie,' zegt Wallace.

'Heel erge ruzie,' zegt Timo.

'We hebben iedere zomer wel ruzie,' zegt Timo.

'Soms wel elke dag een paar keer,' zegt Wallace.

'Hij zeurt vaak,' zegt Timo.

'En hij is snel kwaad,' zegt Wallace.

'De ruzies zijn meestal niet zo erg, en ook nogal kort,' zegt Timo, 'Maar deze keer liep het helemaal mis. We vinden nog steeds dat het de schuld is van de ander. Dus we vertellen nu elk apart hoe het is gegaan. Jullie moeten niet zeggen wat jullie denken, dan hebben we zo weer ruzie.'

Wallace zegt: 'Een volwassen man is al maanden weg. Hij houdt niet van reizen en wél van vaste gewoonten. Een van die gewoonten is een paar keer per week shag kopen, soms met wat erbij.

Dan koopt hij op een dag een staatslot. Een winnend staatslot. Daarna ziet niemand hem meer, weet niemand waar hij is en de prijs wordt niet opgehaald. Dan weet je dat er iets ernstigs aan de hand is. Als er iets ernstigs aan de hand is, ga je naar de politie. Ik wilde naar de politie.

Je weet van tevoren niet wat zij gaan zeggen of gaan doen. Je moet er gewoon heen, het is dom als je niet gaat.'

Dan kijkt Wallace naar Timo en zegt: 'Nu jij.'

'Een tabakswinkelier verkoopt al jaren shag en soms wat andere dingen aan een man,' zegt Timo. 'Dan komt die man niet meer in de winkel en als de winkelier hem thuis opzoekt, is hij daar ook niet. Misschien is hij verhuisd en zijn de nieuwe bewoners veel weg.

Dan wordt bekend dat de winkelier een staatslot heeft verkocht waarop een grote prijs is gevallen. De winkelier wacht op de winnaar. Hij is zelf ook trots.

De winnaar meldt zich niet en maanden gaan voorbij. Dan droomt de winkelier over de man die al een tijd niet in de winkel is geweest en hij droomt dat het lot, dat niet is opgehaald, iets met de man te maken heeft, en dat gelooft hij nog steeds als hij wakker is. Hij gaat weer naar het huis en weer is de man niet thuis. Dan ga je niet naar de politie. Iemand mag gewoon niet thuis zijn. Je moet een droom niet verwarren met wat echt gebeurd kan zijn.

Iemand mag zijn shag bij een ander gaan kopen. En stel je voor: je gaat toch naar de politie. Dan doet de politie echt niks als ze een paar jongens met een droom van een winkelier voor zich krijgen. Ik had geen zin om voor gek te staan. En wilde onze tijd beter besteden. Op zoek gaan naar de échte winnaar.'

Timo kijkt de kring strijdlustig rond. Maar gelukkig zegt niemand wat.

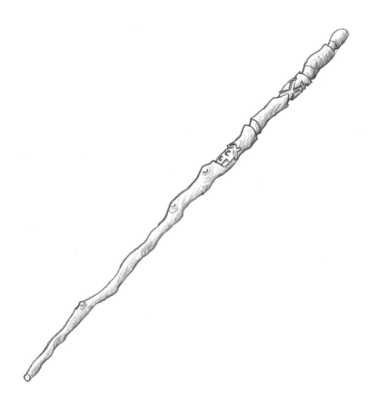

16 Pauze

'Tijd voor een pauze,' zegt Wing, 'Zullen we eens even gek doen met z'n allen? Eens even lekker joelen, gillen, jodelen? Ik heb er wel zin in. Even die zoete snoepsmaak uit mijn mond schreeuwen.'

'Stop, ho,' zegt Jimmy, 'Dat doen we zo meteen. Eerst wil ik eens een paar dingen op een rijtje zetten en dan wil ik ook wel even gillen. Wie helpt mij? We hebben dus twee clubjes van twee. Timo en Wallace en Amita en Evelien. Zij strijden om mooie prijzen. Een van die prijzen zien jullie al, want wat is dat?'

'De stok waar Wing dingen in snijdt,' zegt Katinka.

'Goed! Wat zijn dat voor dingen die Wing erin snijdt?'

'Dingen die hout snijden,' zegt de grotere jongen hard.

'Dingen?' vraagt Jimmy.

'Verhalen,' zegt de jongen, 'Zij vertellen verhalen en die snijden hout.'

'Maar wat heeft zo'n tekentje op een stok dan te maken met een verhaal?' vraagt Jimmy.

Meerdere vingers vliegen omhoog. Jimmy wijst er één aan, weer de grotere jongen.

'Het is een symbool. Je kunt moeilijk het hele verhaal in die stok krassen, dat is veel te lang en staat niet mooi, maar een symbool wel.'

'Maar wat is dat dan, een symbool?' vraagt Jimmy.

'Dat weet je best,' zegt de jongen.

'Ik weet het niet,' zegt Jimmy en hij haalt heel overdreven zijn schouders op. 'Ik ben maar heel kort naar school geweest.'

'Je weet het wel!' schreeuwt Katinka, 'Maar je wilt dat wij het zeggen!'

'Wat is het?' vraagt Jimmy weer, 'Wat is een symbool?'

'Een teken,' zegt de jongen, 'En als je het teken ziet, dan snap je dat het gaat over dat verhaal. Bijvoorbeeld als je de twee degens ziet die elkaar kruisen, dan weet je dat er strijd is, een gevecht, en dat is tussen Timo en Wallace. Of als je een sok ziet, dan weet je dat Evelien en Amita bezig zijn met de vermiste sok.'

'Oké,' zegt Jimmy, 'Dat snap ik.'

'Onze deelnemers krijgen dus als prijs een stok, die ze altijd kunnen bewaren, waardoor ze altijd makkelijk terug kunnen denken aan deze zomer en aan wat ze daarin hebben gedaan,' zegt Wing.

'Maar ze krijgen nog meer!' roept Jimmy.

Hij buig zich voorover naar de kring, alsof hij ieder moment een groot geheim gaat verklappen. Als vanzelf buigt de kring mee naar voren.

Heel zacht zegt Jimmy: 'Maar dat is een geheim en dat blijft het nog even.'

Met een andere klank in zijn stem zegt Jimmy nu: 'Evelien en Amita hebben een ander soort opdracht dan Timo en Wallace.'

'Ja, nogal logisch,' zegt Katinka, 'Sok en staatslot.'

'Hé,' zegt Jimmy, 'Maar ze moeten allebei iets zoeken. Dus de opdracht is eigenlijk een beetje hetzelfde?'

'Ja,' knikken een paar kinderen.

'Dat ben ik niet met jullie eens,' zegt Wing rustig, 'De beide opdrachten hebben wel wat gemeen, maar ze zijn toch wezenlijk anders.

Bij Timo en Wallace gaat het erom dat ze op tijd de winnaar vinden. Is dat bij Evelien en Amita ook zo? Moeten ook zij op tijd een winnaar vinden?'

'Nee,' roept de kring als uit één mond.

'Timo en Wallace moeten eigenlijk gewoon snel iemand zoeken,' zegt de grotere jongen, 'Evelien en Amita moeten meer iets onderzoeken en dat is eigenlijk nooit klaar, denk ik.'

'Heel erg goed,' zegt Jimmy.

'Mogen we nu gillen?' vraagt Wing, 'Ik heb er echt vreselijk veel zin in.'

'Oké,' zegt Jimmy en meteen begint de hele groep keihard te schreeuwen, te gillen en indianengeluiden te maken.

'We willen wel dat de hele camping weet dat wij hier een late bijzondere avond van gaan maken,' schreeuwt Wing keihard boven het lawaai uit.

'Zal ik jullie een indianendans leren? Om het vuur heen? Dan moeten jullie allemaal opstaan!'

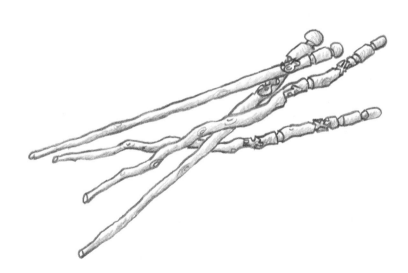

17   Dansen in de kring

Wing geeft iedereen die nog zit een hand en trekt hem of haar omhoog.

'Gewoon meedoen, iedereen kan dansen,' zegt hij. 'We zetten de stokken zo neer.' Hij drukt de stokken van de deelnemers in de grond, naar alle windrichtingen één. 'Iedereen, geef elkaar een hand dan maken we een kring,' zegt Wing.

De kinderen geven elkaar een hand.

'We lopen eerst allemaal die kant op.' Wing wijst.

De kring zet zich langzaam in beweging.

'Sneller!' roept Wing. Van lopen wordt het snellopen.

'Sneller!' roept Wing. Van snellopen wordt het zacht rennen. 'Sneller!' roept Wing. Van zacht rennen, wordt het hard rennen en de handen raken los, kinderen zwieren uit, gillen van het lachen.

'Nu de andere kant op!' zegt Wing.

'Mag ik?' vraagt Jimmy en Wing knikt.

'We gaan nu zo,' wijst Jimmy.

Een paar kinderen beginnen meteen te rennen.

'Stop, ho!' roept Jimmy, maar ze stoppen niet.

'Rennen!' roept Jimmy en de hele kring gaat rennen en valt uit elkaar.

'Vasthouden!' roept Jimmy, 'En nu langzamer.'

De kring gaat van rennen naar lopen, van lopen naar langzaam lopen, naar schuifelen, naar bijna stilstaan, naar helemaal stilstaan.

'Nu met geluid,' roept Wing, 'We roepen er nu *Ugh* bij!'

'Even oefenen,' zegt Jimmy, 'Eén, twee, drie, Ugh!'

'Hallooooo!!' roept Wing, 'Ik hoor niks!'

'Eén, twee, drie, Ugh!'

Nu brult de kring keihard mee.

'Eindelijk hoor ik wat,' zegt Wing, 'Ergens heel zacht in de verte hoor ik iets.'

'Hoor jij wat?' zegt Jimmy verbaasd. 'Ik niet.'

'Nog een keer voor Jimmy,' roept Wing. 'Eén, twee, drie, Ugh, Ugh!'

De kinderen in de kring krijsen hun longen uit hun lijf.

'Hoorde je het nu?' vraagt Wing lachend.

'Vaag, heel ver weg,' zegt Jimmy.

'We doen het nog één keer met lopen erbij,' zegt Wing.

Ze doen het nog één keer en nog één en nog één. Tot sommige kinderen neervallen bij het rennen en buiten adem blijven liggen.

'Ik geloof dat ze weer zin hebben om te luisteren,' zegt Wing.

'Nee, om te liggen, daar hebben ze zin in,' zegt Jimmy.

'Luisteren!' zegt de grotere jongen en een paar kinderen vallen bij.

Al snel zegt de hele kring ritmisch: LUIS-TE-REN.

'Oké,' zegt Wing, 'Ze zijn klaar om weer verder te luisteren. En jij?'

'Ik ook,' zegt Jimmy, 'En jij dan?'

'Helemaal,' zegt Wing.

18   Bureau vermiste sokken

'Wij zeiden tegen Wing: Wij moeten met de auto naar de stad,' zegt Amita.

'Wing knorde,' zegt Evelien. "Kunnen jullie niet naar het dorp, gewoon zelf, op de fiets?" vroeg hij. Dus zeiden we: Nee, we moeten naar de stad, daar gaan we mensen wat vragen en niemand van de camping mag ons zien. We hebben een tafel nodig en twee stoelen en de auto.

'Wing zei dat hij de auto zou regelen en ons zou rijden,' zegt Amita, 'Als wij de stoelen en de tafel verzorgden.'

'Bij de caravan van mijn ouders vroeg ik het meteen,' gaat Evelien verder.

"Dan kunnen we niet meer zitten," zei Els, mijn moeder.

"En waar moet ik mijn drinken dan kwijt?" vroeg mijn vader.

"Allemaal voor die geheime toestand zeker," vroeg mijn moeder. Ik knikte.

"Nou, ga maar lekker eens bij Amita vragen, wij hebben al meer dan genoeg gedaan."'

'Ik zei meteen: van mijn ouders mag het niet,' zegt Amita. 'Mijn ouders houden niet van zulke dingen.'

'Mijn vader zei: "Dan gaan jullie het maar bij een ander vragen,"' zegt Evelien. 'Maar dat vond mijn moeder niet goed, dus kregen we de spullen mee, maar verder hoefden we nergens meer om te komen vragen, want dat mocht niet, bij voorbaat al niet.

Ik griste wat pennen en papier mee uit mijn knutsellaatje en we gingen Wing opzoeken. Wing zat op de parkeerplaats klaar in de auto. We reden naar de stad en gingen het centrum in. Wing parkeerde de auto en hielp ons met de spullen. Toen zetten wij midden op een groot plein onze tafel uit en de stoelen erachter.'

Evelien houdt een papier omhoog. 'Dit schreven we op:'

'Heel veel mensen keken naar ons, ze lachten, maar ze kwamen niet echt bij onze tafel.'

'Totdat Dirk naar ons toe kwam, met zijn moeder,' zegt Amita trots lachend.

19 Het politiebureau, dat zoek ik

'We kregen dus enorme ruzie,' zegt Timo, 'Ik weet niet wat ik allemaal heb uitgeschreeuwd, maar dát ik heb geschreeuwd weet ik wel zeker. Mijn hoofd bonkte. Waar Wallace was, wist ik niet en dat hoefde ik ook niet te weten. Ik hoopte dat hij door de stoep was gezakt en in het riool was beland, of dat hij door een heel stel boze mannen was meegenomen in hun truck, of dat hij zichzelf had opgeblazen van kwaadheid en dat er nu overal in Rotterdam spetters en stukjes van hem lagen. Zoiets, of dat ...'

'Stop, ho,' zegt Jimmy, 'Er zijn kleine kinderen bij!'

'Ik snap het,' zegt Timo, 'Ik was dus heel erg boos, en alleen, want ook Jimmy was ik kwijtgeraakt toen ik boos wegrende naar, naar ik weet niet wat. Nou, stond ik daar in zomaar een straat, in zomaar een stad en ik wist niet wat ik moest doen. Ik merkte dat mijn hart ook keihard bonkte en ik had dorst. Langzaam liet ik mij op de stoep tegen een huis aan zakken en probeerde wat rustiger te worden. Ik denk dat ik een hele tijd zo heb gezeten. In het begin bedacht ik steeds meer enge en nare dingen voor Wallace, ik zal ze nu niet noemen, maar later kon ik beter om mij heen kijken.

Ik zat in een rustige, vrij brede straat waar aan beide kanten hoge huizen stonden, wel vier of vijf verdiepingen hoog. Alle huizen hadden een erker. Ik zat daar maar en keek naar de erkers, en dacht dat het fijn zou zijn om daarin te staan en naar beneden te kijken. Vooral vanaf vijf hoog. Dan zie je alles heel goed en klein, je hebt overzicht. Ineens zag ik iemand bewegen in één zo'n erker. Het was een jonge man, hij zwaaide. Ik keek de straat in, naar links en rechts. Er waren geen andere mensen op straat en voorzichtig tilde ik mijn hand op.

Nu zwaaide hij nog wat enthousiaster terug en hij leek wat

te zeggen, maar ik hoorde hem natuurlijk niet. Ik haalde mijn schouders op en bracht mijn handen naar mijn oren. Hij trok met veel lawaai een raam open en stak zijn hoofd naar buiten. "Zoek je iets?" vroeg hij.

Ik schudde mijn hoofd. Maar toen bedacht ik dat ik naar de politie moest. Wie weet, kon ik daar Jimmy vinden of konden zij Jimmy voor mij vinden, dan kon ik meteen vragen of zij meneer Verwoerd wilden gaan zoeken. Het politiebureau zoek ik, riep ik naar hem. Hij wees het aan. Het was niet ver. Ik stond op en voelde mij opeens doodmoe.

"Wat ga je daar doen?" vroeg de jonge man.

Dat kan ik niet zeggen, zei ik en de jonge man knikte. Geheim.'

20 Op zoek naar meneer Verwoerd

'Ik stond aan de rand van een heel drukke straat,' zegt Wallace. 'Achter mij hoorde ik Jimmy roepen. Ik keek om en zag hem mijn kant op komen, maar ik had geen zin in mensen, dus ook niet in hem. Ik begon te rennen en al snel was ik Jimmy kwijt. Waarschijnlijk is rennen niet echt Jimmy z'n hobby … en met al die zware vlechten ook nog best lastig. Timo kan een vervelende gast zijn. Drammen, kwaad worden, maar ik ben ook niet de makkelijkste.

Mijn boosheid was helemaal weg. Ik voelde mij net of ik even geslapen had, heel vreemd eigenlijk na zo'n scheldpartij, maar zo was het. Ik wilde alleen zijn en verder voelde ik mij prima. Na een tijdje kreeg ik een idee, ik zou nog een keer langs het huis van meneer Verwoerd gaan en ook bij de andere buren langsgaan. Ik wist de naam van de straat nog en vroeg iemand de weg.

Al snel stond ik voor de deur van het huis. Ik belde aan en er deed niemand open. Toen drukte ik op een andere bel, waar we niet waren geweest. De deur ging een stukje open en een kleine, dikke vrouw verscheen in de opening. Ik vroeg of zij wist waar meneer Verwoerd was. "Albert?" vroeg ze. Ik begreep het niet en stelde mij voor.

"Nee, ik bedoel, bedoel je Albert?" vroeg ze.

Ik begreep het weer niet en dacht dat Timo nu wel zou weten wat hij doen moest. Ik knikte maar.

"Hij is al een tijdje weg," zei de dikke vrouw ernstig. Ik knikte weer.

"Hij had er genoeg van: al die autodampen, al dat lawaai, hij wilde schone lucht inademen."

Ik zag meneer Verwoerd in een wolk van sigarettenrook staan, midden in de natuur.

"Hij is naar het huis van zijn dochter. In …" Ze noemde de naam van het dorp. Mijn hart sloeg over. Heeft u daar een adres van? vroeg ik.

Ze schudde haar hoofd en haar onderkin schudde mee.

"Maar het kan ook niet waar zijn," zei ze.

Hoe bedoelt u? vroeg ik.

"Mijn hoofd is niet zo goed de laatste tijd, na een operatie ben ik een beetje raar geworden in mijn hoofd en nu is het soms zo dat ik … floep. Snap je?"

Ik knikte maar weer en hoopte dat de naam van het dorp klopte. Dan wist ik dat in ieder geval. Toch bedankt, zei ik.

Ze knikte afwezig en ze sloot zacht de deur.'

21 De sok van Dirk

'Dirk kwam naar ons toe en huilde zacht,' zegt Evelien. 'Zijn keurige moeder duwde hem steeds een stukje dichter naar onze tafel en zei: "Toe maar Dirk, toe maar."

Toen hij helemaal tegen onze tafel aan stond met zijn buik, zei hij heel zacht: "Ik ben mijn sok kwijt."

Toen begon hij hard te huilen. Zijn moeder aaide hem over zijn blonde, dunne haar en zei: "Gisteren nieuw gekocht en peperduur, de nieuwste Bubbarug supersneaker sok. Iedereen heeft ze in zijn klas. Hij heeft mij er weken de oren van het hoofd om gezeurd." '

'Ik vroeg: Ben je ze alle twee kwijt of één? zegt Amita. Dirk haalde zijn smalle schoudertjes op en stak zijn duim in zijn mond.

"Eén," zei z'n moeder en schikte haar haar.'

'Dus ik zei: Goed, wij gaan voor je zoeken, Dirk, zegt Evelien, vertel eens hoe je sok eruitziet.

"Stoer," snikte Dirk en hij begon weer zacht te jammeren. "Heel stoer en mooi."

Ik keek naar zijn moeder. "Dirk is vijf," zei ze, "hij weet zulke dingen nog niet zo goed, hier heb ik de andere. Fijn dat jullie hem willen helpen, hoe gaan jullie dat doen?"'

'Daar hadden Evelien en ik nog niet over nagedacht,' gaat Amita verder, 'Maar dat wilden we natuurlijk niet laten merken. Ik dacht razendsnel na en zei toen: We komen naar jullie huis, morgen, en dan kijken we eerst waar het precies gebeurd is.

"Dat is fijn, hè Dirk?" zei de moeder en Dirk knikte. Ze gaf ons haar adres. "Tot morgen dan," zei ze.

De volgende dag bracht Wing ons naar het adres. Hij volgde ons op gepaste afstand. Bij Dirk thuis was het netjes opgeruimd en het rook fris. We gingen naar zijn kamer, die heel stoer was. Dirk is dol op auto's. Hij had autobehang, een autovloerkleed en zijn bed wás een auto. Dirk wees aan waar hij zijn sok voor het laatst had gezien. Het was vlak bij zijn bed.'

'Wij gaan zoeken, zei ik,' zegt Evelien, 'Jullie mogen weg. De moeder en Dirk verdwenen naar beneden.

'Ik wilde eerst de vloer bekijken,' zegt Evelien, 'Amita en ik gingen op onze knieën zitten en speurden de vloer af, niks.

We haalden zijn bed af, keken onder het bed, in zijn kussensloop, in zijn lakenhoes, onder de tafel. In ruim een half uur keerden we zijn hele kamer ondersteboven. Zelfs zijn prullenbakje,' giechelt Evelien.

'Maar niks,' zegt Amita, 'We vonden de sok niet. Eén keer dachten we dat we 'm gevonden hadden …'

'Maar dat was gewoon de ene sok, die niet kwijt was,' zegt Evelien en ze giechelt weer.

'Natuurlijk konden we het hier niet bij laten zitten. Dirkje had ons nodig,' zegt Amita.

'Ook jongens vinden kleren belangrijk, vooral als ze stoer zijn,' zegt Evelien, 'We moesten iets verzinnen.

Ik herinnerde mij dat op de site een echte speurdershond, een professionele hond, aan het werk gezet kon worden, misschien kon die ons helpen! Zo vrolijk mogelijk gingen we Dirk vertellen dat we zijn sok nu nog niet hadden, maar dat we echt verder gingen met zoeken.

Dirk keek ons met grote, vochtige ogen aan en duimde weer.

"Het is best moeilijk hè," zei zijn moeder, "ik heb mij gisteren ook een breuk gezocht."

Ik keek ondertussen om mij heen en vroeg: Mogen we ook nog even in de gang en de badkamer kijken?'

'Natuurlijk kregen we toestemming,' zegt Amita. 'Op de gang lag helemaal niks. In de badkamer keken we overal. Zelfs onder de zeep! In de wasmand lag op de bodem een vliegtuigje, dat was Dirk ook al een tijdje kwijt en hij was heel blij dat we het terug hadden gevonden.

We gingen met de moeder in de huiskamer zitten en namen nog een keer door wat Dirk allemaal gedaan had gisteren, toen hij zijn sok nog had en toen hij net weg was.

"Mmm," zei de moeder, "we gingen naar boven, toen had hij ze nog. Ik ging naar de badkamer en vulde het bad. Hij trok in zijn kamer zijn kleren uit. Hij wilde zijn sokken aanhouden, maar dat mocht niet van mij. Had ik het maar gedaan. Dus daar ergens heeft hij ze uitgetrokken, want hij kwam helemaal bloot …"

"Piemelbloot," gilde Dirk erdoorheen.

"Helemaal naakt, de badkamer in, " zei zijn moeder.

"Piemelnaakt," gilde Dirk.

"Sssst," zei zijn moeder, "dat is niet netjes! Toen ik de spullen in de was gooide, terwijl hij in bad zat, kon ik zijn ene sok niet vinden. Echt helemaal weg."

"Net als mijn vader," schreeuwde Dirk, "ook weg."

"We zijn net gescheiden," zei de moeder zacht.'

'Amita en ik wisten even niet wat we moesten zeggen, dus knikten we maar,' zegt Evelien.

22 Paul

'Ik belde bij de andere bel aan,' zegt Wallace. 'De deur ging wijd open en een man met donker haar en een donkere huid keek mij vriendelijk aan. Ik legde uit wat ik kwam doen.

"Paul," stelde hij zich voor en gaf mij een hand. Hij luisterde naar wat ik te vertellen had.

"Een dochter heeft meneer Verwoerd niet," zei Paul. "Niet meer, ze is een tijdje geleden overleden. Misschien heeft hij nog wel haar huis, dat kan. Ze woonde in Gelderland, ergens in het groen." Paul rilde.

Heeft u het adres van dat huis, stamelde ik.

Hij liep naar binnen en kwam even later terug.

"Kijk, dit heb ik," zei hij, "en zeg maar Paul, hoor."'

Wallace stopt met vertellen en zoekt in zijn zakken. Dan houdt hij een snipper papier in de lucht. Hij geeft het aan het kind naast hem in de kring en zegt: 'Doorgeven.'

Op de snipper leest het kind deze in potlood geschreven tekst:

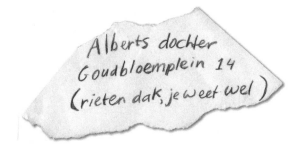

Het kind geeft de snipper door en Wallace vertelt verder.

'"Dat gaf hij mij eens na een avondje in het café," zei Paul tegen mij, "Ik zou hem opzoeken daar, want hij moest vroeg weg, omdat hij naar haar toe ging. We hadden het leuk samen die avond, erg gelachen, maar ik ben nooit gegaan, ik hou niet zo van groen, van rust, wist ook niet meer in welke plaats precies. Meer weet ik niet, jongen," zei Paul, "behalve dat het een lieve man is, een keurige man ook. Ik hoop dat hij het geld heeft gewonnen, want dan krijg ik zeker een paar rondjes van hem in het café."

Paul lachte hartelijk en sloot de deur. Meteen deed hij hem weer open en zei: "Als je hem vindt, stuur je hem dan bij mij, bij Paul, langs?"

Ik knikte en bleef ermee doorgaan toen de deur allang weer dicht was.' zegt Wallace.

Hij pakt de snipper aan die precies een rondje om het vuur gemaakt heeft en propt hem terug in zijn zak.

23 Wie is aan de beurt?

'We gingen terug naar de camping,' zegt Evelien.

'Dat kan wel, maar ik ben nu aan de beurt,' zegt Timo.

'Niet,' zegt Amita, 'Jullie zijn net geweest!'

'Hij is net geweest,' zegt Timo en hij wijst op Wallace.

'Ik niet en ik wil vertellen dat ik op het politiebureau ben geweest!'

'Maar jullie beurt is voorbij!' zegt Amita, 'Lekker pech.'

Timo staat op en geeft Amita een duwtje.

'Stop, ho!' zegt Jimmy meteen.

'Het is wel een wedstrijd, maar die wordt niet zo gespeeld,' zegt Wing. Hij gooit een blok hout op het vuur en port het op. Even vlamt het vuur hoog op.

'Maar wie is er dan?' vraagt Evelien.

'Wat vind jij?' vraagt Wing.

'Ik vind dat jij het moet zeggen,' zegt Amita, 'Jij bent de jury.'

'Stop, ho,' zegt Jimmy, 'En ik dan?'

'Ja, jij ook natuurlijk,' zegt Amita.

'Dan ben ik voor de jongens,' zegt Jimmy.

Wing denkt even na. 'In dat geval ben ik voor de meisjes,' zegt hij.

'En nu?' vraagt Timo, 'Dat wordt lekker dan!'

'Wij gaan gewoon,' zegt Amita en ze begint te praten.

Meteen begint Timo *lalalala* te zingen, heel hard er dwars doorheen. Maar net zo plotseling als hij begonnen is, stopt hij ermee en zegt: 'Gaan jullie maar.'

'Waarom?' vraagt Evelien.

'Ik weet niet, maar ik heb hier geen zin in,' zegt Timo.

'In wat?' vraagt Wing.

'In ruzie,' zegt Timo.

'Misschien heb je wat geleerd, Timo,' zegt Wing langzaam.

'Misschien,' zegt Timo.

'Weet je, anders ga jij nu,' zegt Evelien opeens.

'Waarom?' vraagt Timo. Hij kijkt naar Evelien en zijn gezicht heeft opeens iets verlegens.

'Jij en Wallace zijn een team, en je hebt nog niet het verhaal van je team verteld,' zegt Evelien. 'Toch?' en ze kijkt vragend naar Amita.

'Oké,' zegt Amita, 'Wij hebben toch veel meer te vertellen dan jullie, dus zijn we straks nog heel lang alleen aan het woord.'

'Dat zullen we zien,' zegt Wallace.

'Zeker,' zegt Wing, 'Ga door Timo, we zijn nieuwsgierig.'

24 Waar ben ik?

'Ik liep dus in de richting die de man mij had aangewezen, en al snel zag ik het politiebureau,' zegt Timo. Hij kijkt naar Evelien en zij kijkt naar hem.

'Om binnen te komen moest je op een bel drukken. Iemand achter een balie keek even naar me en toen hoorde ik een klik en duwde tegen de deur, die nu openging. Ik ben op zoek naar meneer Verwoerd, zei ik.

De mevrouw achter de balie keek op een lijst. Ze ging er met een pen langs en na een tijdje zei ze: "Nee, die werkt hier niet."

Die werkt hier ook niet, zei ik, die is kwijt.

"Vermist?" vroeg ze en ik knikte.

Ze schoof mij een formulier toe. "Eerst invullen."

Ik liep naar een zitje en vulde het in. Er zaten nog twee mensen te wachten, zag ik nu. Met het ingevulde formulier liep ik naar haar terug. Ze wierp er een vluchtige blik op.

"Heb je een legitimatie?" vroeg ze.

Nee, zei ik, ik ben nog geen veertien, dan moet dat toch pas?

"Dan kun je ook geen vermissing opgeven," zei ze, "Je moet samen met een volwassene terugkomen."

Dat schoot zo niet op. Ik had geen idee waar Jimmy was en dan moest ik hem nog zien mee te krijgen.

Kunt u niet even in de computer kijken of hij al eerder als vermist is opgegeven?

"Nee," zei de mevrouw vriendelijk maar streng, "ik kan niks meer voor je doen." Ze keek mij niet meer aan.

De andere mensen in de ruimte kon het ook niks schelen.

Ik moest op zoek naar Jimmy en liep de straat weer op. Eerst terug naar de straat waar ik uit kwam, langs het huis van de man die mij de weg had gewezen, en toen op goed geluk de straat uit.

Ik was boos weggerend en wist niet meer hoe ik terug kon komen bij de tabakswinkel. Maar de naam kende ik nog wel. Gelukkig waren er veel aardige mensen op straat en met hun hulp kon ik de winkel weer terugvinden. Jimmy zat een eindje verderop in het zonnetje en maakte een nieuwe knoop in zijn haar. Ik liep naar hem toe, hij had het niet door en ik riep BOE. Hij vloog zowat een halve meter de lucht in.'

Evelien giechelt. Timo kijkt haar blij aan.

'Toen ik alles verteld had, stond hij op om mee te gaan naar het politiebureau, deze keer zou het lukken,' zegt Timo.

'Aan wie vertel je dit eigenlijk?' vraagt Wing.

Een paar kinderen lachen zacht en sommigen wijzen naar Evelien.

'Aan iedereen,' zegt Timo, 'Aan jullie! Aan wie anders?'

Hij kijkt meteen niet meer naar Evelien en zij kijkt ook ergens anders naar.

'Prima, zoals je wilt,' zegt Wing.

25 Te veel letters

'"Wat een scheet van een jongetje is die Dirk," zei Amita toen we de deur achter ons dichttrokken,' zegt Evelien.

Ze staart in het kampvuur. 'Ik was het met haar eens, lief en stoer, hij moest zijn sok terugkrijgen. We zochten Wing op, die verderop in de auto in slaap was gevallen en stapten in.'

'We moesten terug naar de camping,' zegt Amita. 'Naar de site, want daar had ik gezien dat ze een echte sokkendetectivehond hebben, hij werkt gratis maar alleen voor kinderen onder de zeven jaar.'

'Dat is Dirk, want die is vijf,' zegt Evelien. 'Wing zette ons af bij het kantoor en we gingen *online*. Bij het laatje van de detective konden we de sok van Dirk opgeven. Maar hoe zag die er ook alweer precies uit? Amita pakte toen uit haar zak de sok.

"Wat is blauw in het Engels?" vroeg Amita aan mij, "en geel en paars. En donkerblauw en strepen en …"'

'Dus zei ik, dat we Wing nodig hadden,' zegt Amita.

"Ik ga hem halen," zei Evelien meteen en ze sprong op en verdween om even later met Wing terug te komen. Hij hielp ons goed. Toen we de naam van Dirk hadden opgegeven, zijn adres, zijn telefoonnummer en e-mailadres, mochten we de vermiste sok omschrijven. Wing vertaalde en spelde alle woorden die we wilden weten. Toen we op verzenden hadden gedrukt kregen we het bericht terug met de vermelding: *te veel letters*.

'We mochten maar veertig letters gebruiken om die stoere sok van Dirk te beschrijven, dat lukte niet,' zegt Evelien. 'Steeds kregen we terug dat we te veel letters hadden.'

'Wel zes of zeven keer,' gaat Amita verder, 'Steeds haalden we wat letters weg tot er bijna niks meer stond.'

'*Sok met opdruk*, zoiets bleef over,' zegt Evelien en giechelt,

'Terwijl wij de sok heel precies konden omschrijven, die andere lag voor onze neus!'

'We drukten op *verzenden* en op het scherm kwam de boodschap dat de detectivehond zo snel mogelijk zou gaan beginnen met het onderzoek,' zegt Amita. 'Dat hij of zij nog geheimer werkt dan de tandenfee.'

'In ieder geval hadden we wat gedaan,' zegt Evelien.

'Maar we wilden nog meer doen,' zegt Amita.

'Toen we erover gingen praten samen, hadden we al snel weer een plan.'

'Dat is wel het leukste van deze zomer,' zegt Evelien, 'Je bedenkt steeds je eigen activiteiten.'

'Alsof je je eigen spel speelt en bedenkt tegelijkertijd,' zegt Amita, 'Heel gaaf.'

26 Weer op het politiebureau

'Wat mij opviel,' zegt Timo, 'Is dat volwassenen veel aardiger doen tegen kinderen als er een andere volwassene bij is. De mevrouw achter de politiebalie wilde best in de computer kijken, ook al had Jimmy géén legitimatie bij zich en was hij zeker boven de veertien.

Ze zocht in de bestanden naar meneer A. Verwoerd. Weer keek ze lang en aandachtig.

Jimmy stelde voor om anders op Albert Verwoerd te zoeken en dat deed ze.

Ze schudde haar hoofd: "Niemand heeft hem als vermist opgegeven," zei ze, "maar dat zegt niks."

"O nee?" vroeg Jimmy.

"Nee," zei ze, "sommige mensen worden niet gemist en worden dan dus ook nooit vermist." Ze lachte om zichzelf en Jimmy lachte maar wat mee.

Ik was blij dat Wallace en ik hem hadden gekozen. "Het beste kun je zijn post bekijken," zei ze toen. "Als iemand écht vermist is, dan stapelt de post zich op. Dat zie je zo, zeker als het om maanden gaat. Mensen die op vakantie gaan, regelen iets voor hun post. Ze vragen buren of laten alles doorsturen of vasthouden.

Als het niet klopt, dan zie je het meestal aan de post," zei ze zacht, ze boog zich wat dichter naar Jimmy toe en fluisterde, "soms ligt iemand dood in zijn woning. Dat kun je ruiken, dat kun je ook proberen. Ruiken. Maar hier is ons niets bekend," zei ze weer hard.

"Dank u wel," zei Jimmy. "Kom we gaan, Wallace zoeken."

We liepen naar buiten.

"Ik wil Wallace niet vermist hebben," zei Jimmy en hij keek

ongerust en dat was ik ook,' zegt Timo.

'Ondertussen was ik niet kwijt, ik liep gewoon langs de huizen, belde bij iedereen aan,' zegt Wallace, 'Steeds duidelijker werd dat meneer Verwoerd waarschijnlijk in het huis van zijn overleden dochter zat. In een dorpje ver van de bewoonde wereld.

Ik moest erheen, maar dat kon niet zonder Jimmy.'

Wallace aarzelt en kijkt even snel naar Timo, die naast hem zit bij het vuur.

'En ook niet zonder Timo, natuurlijk,' zegt Wallace.

27 Op zoek

'Na een week kregen we een e-mail dat de hond met de zaak bezig was,' zegt Amita, 'We gingen het bij Dirk thuis vertellen en Dirk kon niet stil blijven zitten.

Hoe kon de hond dan in zijn huis komen? Zou hij niks anders stelen? Kwam de hond als hij sliep? Als hij de sok vond, zou hij hem dan wakker maken? We wisten het niet en gingen na een tijdje weg.'

'Maar niet voordat we nog één keer in zijn kamer rondgekeken hadden,' zegt Evelien. 'Geen sok. We waren ook met andere dingen bezig,' vertelt ze verder. 'Op een nacht zijn we op het grote veld hierachter gaan liggen, we mochten er de hele nacht blijven van onze ouders, wonder boven wonder.'

'We hadden slaapzakken, matjes, zaklampen en een echte sterrenkijker bij ons,' zegt Amita.

'En snoep en drinken en chips,' giechelt Evelien. 'We speurden de lucht af, op zoek naar buitenaards leven, buitenaardse wezens.'

'En?' vraagt de grotere jongen hard.

'We zagen de Grote Beer,' zegt Amita.

'En de Kleine Beer,' zegt Evelien, 'En een vallende ster.'

'We deden een wens voor Dirk. We konden de hele nacht niet slapen,' zegt Amita. 'Stel je voor dat er een echt buitenaards schip naar ons toe zou komen?'

'Natuurlijk gebeurde dat niet,' zegt Evelien.

Wing snijdt een vliegende schotel in de stokken.

'Waar we ook mee bezig waren, was met ons bureau. We gingen elke woensdag, donderdag en vrijdag met ons tafeltje op het grote plein zitten en zetten ons bord neer,' zegt Amita.

'We hebben samen een heel mooi bord geknutseld, kijk!' zegt Evelien. Ze pakt een schildersdoek dat prachtig versierd is en waarop met duidelijke letters alles over hun bureau staat.

'De meeste mensen bleven kijken en lachen,' zegt Evelien, 'maar sommige mensen kwamen aarzelend bij ons staan, vroegen of het een grap was en als we zeiden van niet, vertelden ze over hun verloren sok, soms al heel lang geleden.'

'Als het pas gebeurd was, schreven we alles op,' zegt Amita. 'Wing kreeg het echt druk met ons, want we maakten overal een afspraak en gingen kijken en helpen zoeken en hij moest mee om ons te rijden en om een beetje op ons te letten.

Bij één adres vonden we de sok, in een hoekje van een andere kamer. Toen we de sok vonden, kwam de poes erbij en rook aan het opgerolde ding en begon ertegenaan te tikken. De baas lachte en begreep nu hoe de sok was kwijtgeraakt.'

'Sommige mensen wilden geen hulp bij het zoeken, ze wilden gewoon meer weten over hoe het komt dát een sok kwijtraakt,' zegt Evelien, 'Dus we maakten deze panelen om mensen alles te laten zien.'

Evelien loopt naar achteren en komt terug met drie panelen waarop je de etende wasmachine terugziet, het bijtende waspoeder, de poes die speelt met een sok, de sok in de verkeerde was, de buitenaardse wezens en de sok op weg om een draadkleerhanger te worden.

De kinderen in de kring rond het kampvuur zeggen allemaal 'oh en ah' zo mooi vinden ze het uitgebeeld. Evelien en Amita glimlachen trots.

'We zijn er best lang mee bezig geweest,' zegt Evelien. 'Toen we er voor de vierde week stonden, kwam er een enge man op ons af. Hij was zijn sok kwijt en vroeg of we hem wilden helpen zoeken bij hem thuis.'

'Hij keek een beetje raar naar ons. We wilden het niet,' zegt Amita, 'Dus we zeiden dat we het heeeel druk hadden, maar dat we een lijst zouden maken, waar precies op stond waar hij het beste kon gaan zoeken. De week erna mocht hij die bij ons komen ophalen.'

'Hij drong nog een beetje aan, zei dat hij zelf slecht zag,' zegt Evelien. 'Maar toen Amita naar Wing wenkte en die langzaam dichterbij kwam, ging hij weg, die zag hij dus prima!'

'Nu moesten we wel een goede lijst maken, met plekken waar je kunt gaan zoeken, vonden we,' zegt Amita. 'Voor onze andere klanten ook best handig.'

'En we kregen ook een e-mail terug van de detectivehond, die voor Dirk aan het werk was geweest,' zegt Evelien.

28 Nu meteen

'Jimmy liep met grote passen voor mij uit, hij was duidelijk ongerust over waar Wallace was,' zegt Timo. 'Ik wist niet dat hij zo hard kon lopen. Natuurlijk wilde ik Wallace ook wel vinden, ook al was ik nog steeds kwaad op hem. Als ik er langer over nadacht kon dat best gevaarlijk zijn, een jongen alleen verdwaald in een grote stad.

Jimmy leek te weten waar we waren, want zonder moeite liep hij terug naar de sigarenwinkel. Wallace was daar niet en ook niet buiten. "We moeten hem vinden," zei Jimmy.'

Wing snijdt ondertussen bij het vuur in elke stok een heleboel strepen. Een kind vraagt, wat het is.

'Een doolhof,' zegt Wing en gaat door met snijden.

'We gingen vanzelf rennen,' zegt Timo, 'En dan word je nog zenuwachtiger.

We renden naar de straat van meneer Verwoerd, keken bij zijn huis, en snel even naar zijn post. Geen post. We keken bij het huis van de buren, nergens was Wallace.

We liepen andere straten in en keken in portieken, renden trappen op naar boven om ook om de hoek te kunnen kijken. Opeens zag ik hem en wees. Jimmy rende nog harder en schreeuwde zijn naam. Nu hij gevonden was, werd ik meteen weer kwaad.

Hij altijd met zijn gedram, wil altijd zijn zin hebben, altijd alles precies zoals hij het wil hebben. Jimmy pakte Wallace vast en gaf hem een soort van omhelzing. Ze liepen langzaam naar mij terug.

"Zo ruziemakers," zei Jimmy, "en nu uitpraten, nu meteen."'

'Ik zei dat ik niet boos meer was,' zegt Wallace, 'Dat ik onze ruzie een beetje stom vond, dat we samen moesten werken en niet tégen elkaar, dat wij toch een team waren, of in ieder geval moesten zijn. Maar Timo luisterde geloof ik niet echt, hij keek boos.'

'Ik was ook boos,' zegt Timo, 'Ik kon zo weer beginnen met schelden, ik wilde niet praten en ook niet luisteren, ik wilde dat we nog ruzie hadden of dat het helemaal over was, niet net iets daartussenin.

Dus stelde ik voor om naar de camping terug te gaan en daar posters te maken en die morgen in de hele buurt hier op te hangen,' zegt Timo, 'En dat we dan langs de deuren konden gaan. Ik zei dat we moesten opschieten, dat die meiden vast al heel veel gedaan hadden en wij alleen nog maar hier in Rotterdam hadden rondgelopen en ruzie hadden gemaakt. Wallace knikte. Hij knikte gewoon en dat was geweldig. We gingen terug naar de Olmen. Aan het werk. Samen.'

Timo slaat Wallace flink op zijn schouder. Even krimpt hij in elkaar en dan lacht Wallace voluit. Zijn tanden glinsteren in het schaarse licht. 'Kon ik hem eindelijk vertellen wat ik intussen te weten was gekomen,' zegt Wallace.

29 Bij het vuur

Wing gooit nog wat blokken op het vuur. Het wordt steeds later en steeds ietsje kouder waardoor het vuur harder moet branden.

'Zijn er vragen?' vraagt Wing en hij kijkt de kring rond.

De grotere jongen steekt zijn hand op. 'Hoe wist de tabakshandelaar dat hij een winnend lot had verkocht?'

'Dat wist hij dus niet,' zegt Timo, 'Dat dacht hij.'

'Nee, hij dácht dat meneer Verwoerd gewonnen had,' zegt de jongen, 'Maar hij wíst dat hij een winnend lot verkocht had. Hoe?'

'Hij had alle verkochte nummers met serie opgeschreven,' zegt Wallace, 'Dat hield hij voor zichzelf bij.'

De jongen knikt.

'Nog meer vragen?' vraagt Jimmy.

Niemand zegt wat.

'Nou, dan heb ik een vraag,' zegt Jimmy, 'Wie denkt er nog steeds dat wij de hele zomervakantie niks gedaan hebben?'

Twee aarzelende vingers gaan omhoog.

'Jij,' wijst Jimmy, 'Zeg het eens. Hoe heet je?'

'Willem,' zegt het kind, 'Niet niks, maar wel minder dan de rest van de leiding, denk ik.'

'Dat denk ik ook,' zegt het andere kind snel.

'Hebben jullie nog puf om te luisteren of gaan we weer dansen en zingen?' vraagt Wing en hij zegt spottend, 'Dan doen we ook wat.'

'Doorgaan,' zeggen een paar kinderen.

'Dan gaan we door,' zegt Wing, 'Iemand nog een deken?'

Twee kinderen steken hun hand op.

30 Een lijst met vindplaatsen

'Een lijst, die moesten we hebben,' zegt Evelien.

'*Beste plaatsen om een verloren sok te vinden*, schreven we op,' zegt Amita. 'We keken elkaar aan. Nu moest er wat komen. In een hoek in een andere kamer, zei ik ten slotte en dacht aan de speelse poes.'

'Binnen, schreef ik op, onder het bed, in een hoek van de kamer, in de broekspijp van je broek, bij een andere kleur was,' vertelt Evelien.

'Heel goed! zei ik meteen enthousiast tegen Evelien,' zegt Amita. 'Nu hoefden we niet met die engerd mee.

In je dekbedovertrek of in je sloop, vulde ik aan.'

'Buiten, schreef ik op,' zegt Evelien, 'onder het zand, in het park, in de bosjes, in de prullenbak bij een bankje, in het gras.

Amita vroeg: "Waar raken de meeste mensen hun sokken kwijt?" Binnen, denk ik, zei ik. Ik dacht terug aan de gesprekken bij de tafel op het plein. Meestal raakt een sok binnen kwijt, en daarom is het zo gek dat je 'm niet vindt. Mensen weten zeker dat ze net nog twee sokken hadden, en dan opeens is er één weg. Onvindbaar.

"In de stofzuiger, kijk dus in de zak," zei Amita.

De lijst groeide,' vervolgt Evelien, 'Vooral toen we dachten aan de mensen aan onze tafel. Er kwam een mevrouw de ene week vertellen dat ze haar roze nieuwe sok kwijt was en de week erna zei ze dat ze 'm gevonden had.

Hij lag in de rubberen rand van de wasmachine, tussen het rubber in de deur van de wasmachine.'

'Onder de wasmachine, bij het uithalen van de was gevallen en er per ongeluk tegenaan geschopt, in de sporttas, in de kleedkamer van de sportclub, schreven we ook allemaal op onze lijst,' zegt

Amita. Een oudere man met een rollator kwam mij vertellen dat zijn huishoudelijke hulp de sok had gevonden.'

'Eén in de wasmand en één in de was,' zegt Evelien.

'Op verschillende plaatsen opgeborgen,' zegt Amita, 'Een moeder van een groot gezin heeft een heleboel was en haar man weet niet waar al die kleren horen. Als hij helpt, is iedereen een week al zijn kleren kwijt, inclusief zijn sokken.'

'Ik wilde er een mooie lijst van maken,' zegt Evelien, 'met de belangrijkste vindplaatsen eerst en dan naar beneden toe wat ook nog kan. Amita vond dat prima.'

'We maakten dit,' zegt Amita en ze staat op.

Weer halen ze een paneel tevoorschijn. Deze keer zien de kinderen minder plaatjes, maar veel prachtige letters en cijfers.

'En Dirk? En de e-mail van de detectivehond?' vraagt Katinka.

'Dat is een mooi verhaal,' zegt Evelien.

'Maar dat vertellen jullie zo,' zegt Timo, 'Want wij zijn weer aan de beurt.'

Evelien kijkt hem rustig aan en hij kijkt terug tot hij het niet meer volhoudt en zijn ogen neerslaat.'

'Bloos je?' vraagt Wing.

'Nee, natuurlijk niet,' zegt Timo.

'Prima, zoals je wilt,' zegt Wing.

31 Prijs?

'Dit affiche maakten we,' zegt Timo en laat het zien.

MISSCHIEN HEEFT U DE STAATSLOTERIJ GEWONNEN EN WEET U HET NOG NIET!!!

ER IS EEN **GROTE** PRIJS HIER IN DE WIJK GEVALLEN. **M**ISSCHIEN OP UW LOT?
KIJK HET NA, ER IS **HAAST** BIJ, OVER EEN PAAR DAGEN VERVALT DE PRIJS. **D**AN HEEFT U **NIETS**.
MELD U BIJ DE RECEPTIE VAN CAMPING **DE** OLMEN EN VRAAG NAAR TIMO EN **W**ALLACE.
OF GA NAAR DE TABAKSWINKELIER IN DE SPEERSTRAAT 35.

'We hingen het overal op in de wijk. Jimmy deed niet mee, we deden het zelf,' zegt Timo, 'Maar we spraken wel af waar we elkaar zouden zien en dat we geen ruzie zouden maken en elkaar niet in de steek zouden laten,' zegt Wallace, 'Toen de hele wijk behangen was, gingen we aanbellen bij mensen en vragen of ze loten in huis hadden.'

'We zijn ongeveer vier dagen in de wijk overal gaan aanbellen,' zegt Timo.

'We hebben zo veel verschillende mensen gesproken,' zegt Wallace. 'Zullen we over een paar van de leukste ontmoetingen vertellen?'

De kinderen in de kring rond het vuur roepen meteen 'jaaa'!

'We belden aan bij een vuile deur, het rook heel erg naar vuilnis. Toen de deur openging, roken we een muur van viezigheid, de man die opendeed, had een hemd aan dat ooit wit was geweest, en hij was nogal dik en keek boos. Nu kan Timo ook nogal boos kijken en dat deed hij. Heeft u misschien staatsloten in huis? vroeg ik.

"Nee," zei de man en wilde de deur dichtgooien.

"Nou," zei Timo, "dan mist u toch lekker een half miljoen." De deur bleef op een kier openstaan.

Ik zei toen: Er is een half miljoen op een lot gevallen in deze buurt, het lot is niet opgehaald en u kunt de winnaar zijn, als u tenminste nog ergens een oud staatslot hebt liggen,' gaat Wallace verder.

'Hij kan goed aanhouden,' zegt Timo. 'De man trok de deur verder open en liep zijn huis in.

Hij wenkte ons, we stapten aarzelend over de drempel. Binnen stonk het nog erger en het was er een onbeschrijfelijke troep. Overal kleren, dozen, kranten, vuil vaatwerk, bierflesjes, tasjes, twee vieze kattenbakken en een heleboel katten.'

'Hij zocht even en trok toen vier viezige papiertjes onder een stel dozen vandaan,' vertelt Wallace, 'Het waren staatsloten.

"Hier," zei hij, "controleer het maar en als ik wat heb, kom je terug."

We stonden al snel weer buiten, nogal verbaasd met de sterk ruikende papiertjes in onze handen. Bij de tabakszaak bleek dat er een prijs was gevallen op alle vier de loten, kleine bedragen maar bij elkaar toch bijna honderd euro.

We gingen met het goede nieuws naar de man terug en vertelden dat hij het zelf kon gaan innen. We zijn nog minderjarig, legde ik uit,' zegt Wallace.

'Hij was dolblij,' zegt Timo, 'Hij danste met zijn zware lijf tussen de rommel door en bood ons thee aan of een biertje, wat we maar wilden. We wilden liever naar buiten, de frisse lucht in, maar waren wel blij dat hij zo blij was.'

'Er was nog een andere man,' zegt Wallace, 'Hij stond buiten aan zijn auto te sleutelen, een paar dagen later in een andere straat. We vertelden hem alles. Hij had zulke vieze zwarte handen dat hij ons vroeg zijn loten te pakken van het prikbord in zijn keuken en na te kijken. We deden het en kwamen terug met heel goed nieuws, hij had meer dan 600 euro gewonnen op één lot, en kon naar een speciaal door de Nederlandse staatsloterij aangewezen verkooppunt om zijn geld op te halen.'

'Hij liet meteen de sleutel waarmee hij in zijn auto bezig was, vallen,' zegt Timo, 'Hij zei: "Dan ga ik met dit beestje naar de garage, want ik snap er geen puntje puntje van."'

'Verder was er nog een vrouw met een heel leuke dochter,' zegt Wallace.

Timo kijkt snel naar Evelien, die in het vuur staart.

'Zij ging zelf meteen met haar dochter naar de tabakswinkel en ze kwamen terug met nieuwe kleren aan!'

'We denken dat er nog heel wat loten in Nederland rondzwerven, waarop een geldprijs is gevallen!' zegt Timo.

'We hadden ook een afspraak met meneer Verwoerd gemaakt in het huis van zijn dochter,' zegt Timo.

'En we wachtten de reacties op onze affiche af,' zegt Wallace.

32 Gevonden

'We kregen een mail van de detectivehond,' zegt Amita.
'Kijk,' zegt Evelien. Ze geeft het papier door.

Van: hound@funbureau.com
Aan: deolmen@camping.nl
Onderwerp: your sock

The sock is found.

'De sok was gevonden, de sok van Dirk!' zegt Evelien.
'We geloofden het gewoon niet,' zegt Amita. 'Hoe kan iemand die zo ver woont en niet weet hoe de sok er precies uitziet, die nou vinden? We belden Dirk.

"Ik heb de sok net gevonden!" zei de moeder van Dirk. "We komen eraan," zei Evelien. We renden naar Wing en gelukkig ging hij meteen mee.

De moeder van Dirk stond ons samen met Dirk in de deuropening op te wachten. Ze zwaaide al van ver met de sok. Wij zwaaiden met de andere sok terug.

Binnen vertelde ze dat ze de sok door onze tips gevonden had. Ze was eens even in de stofzuigerzak gaan kijken en ja hoor, daar zat de sok. Ze had hem meteen even in een sopje gelegd en nu was hij weer als nieuw.

Ze kuste Evelien en mij hartelijk op onze wangen en Dirk

kwam verlegen naar voren en gaf ons een tekening.'

'Het komt niet door ons! riep ik,' vertelt Evelien, 'En die woorden wilden bijna niet door mijn keel komen. De detectivehond heeft 'm gevonden.

"Nee, hoor," zei de moeder van Dirk, "ik heb hem gevonden met hulp van jullie tips."

Ik hield de e-mail voor haar neus. De moeder las de mail en glimlachte."Alle beetjes helpen," zei ze, "Maar jullie zijn onze helden en ik zal aan iedereen over jullie bureau vertellen."

We dronken thee met een koekje en Dirk trok zijn sokken aan, alle twee, en keek trots naar ons,' zegt Evelien en ze glimlacht bij de gedachte.

'"Stoer hè?" vroeg hij en we knikten alle twee. En langzaamaan begonnen wij ons ook trots te voelen,' zegt Amita.

'Was het eigenlijk belangrijk door wie de sok gevonden was? Of was het belangrijker dát de sok gevonden was?' vraagt Evelien zich hardop af.

'Wie het gezicht van Dirk heeft gezien, weet het antwoord,' zegt Amita.

33 Het huis van meneer Verwoerd

'We gingen op bezoek bij meneer Verwoerd,' zegt Timo.

'Het was ver weg, Jimmy reed ons erheen,' zegt Wallace. We hoopten dat meneer Verwoerd er was en dat hij met ons wilde praten…'

'We belden aan bij het grote huis dat aan het einde van een kleine oprijlaan lag, midden in het groen. Gelukkig werden we hartelijk ontvangen door meneer Verwoerd,' zegt Timo. 'Hij liep met ons door de gang die vol dozen stond naar de zitkamer.'

'Hij was heel mager en vrij klein en hij draaide aan één stuk door shagjes, en rookte als een schoorsteen,' zegt Wallace. 'We kregen thee en er viel een kleine stilte. We deden de groeten van de tabakswinkelier en van Paul, de donkere buurman uit Rotterdam. Meneer Verwoerd knikte stilletjes. "Ik ben daar zomaar weggegaan," zei hij, "zomaar van de ene dag op de andere hield ik het niet meer uit." Hij schraapte zijn keel.

"Jullie moeten weten, dit is niet mijn huis," zei hij, "dit is het huis van mijn dochter. Ze is bijna een jaar geleden overleden, heel plotseling," ging hij zacht verder. "Nu ben ik haar spullen beetje bij beetje aan het opruimen, vandaar die dozen in de gang. Ik zat daar maar alleen in Rotterdam. Ik liep de hele dag rondjes door mijn huis. Rookte, rookte nog meer en wilde maar één ding, mijn dochter terug. Op een dag pakte ik mijn spullen en reed hiernaartoe, ik voelde mij meteen anders alsof ik hier dichter bij haar was," zei meneer Verwoerd.'

'Het is een mooi huis, zei ik tegen hem,' vertelt Timo.

'Meneer Verwoerd zuchtte. "Mooi, maar verwaarloosd."

Hij stond op en liep naar het raam, duwde tegen het hout van het kozijn en het brokkelde onder zijn vingers af.

"Zo is het overal," zei meneer Verwoerd. "De ramen moeten

worden vervangen, afgelopen winter bleef het hier steenkoud. En moet je de muren zien." Hij zuchtte weer.

"Maar ik voel mij hier wel veel beter dan in Rotterdam," zei meneer Verwoerd. "Dat is zeker."

Hij keek ons aan,' zegt Timo, 'En vroeg toen: "Wat brengt jullie helemaal hier? Jullie hebben mij wel nieuwsgierig gemaakt!"

We vertelden het. En ook dat de tabakswinkelier had gezegd dat we een afspraak moesten maken en niet moesten zeggen waar het om ging, omdat dit zaken zijn die je persoonlijk moet vertellen en niet door de telefoon.

Hij knikte eerst en schudde toen zijn hoofd. "Mijn loten heb ik allemaal laten controleren, hier in het dorp, er was niks op gevallen."'

34   Ons vermistesokkenbureau

'Wij gingen door met ons bedrijf,' zegt Evelien.

'AE vermistesokkenbureau,' zegt Amita, 'AE staat in grote letters, omdat het staat voor de eerste letter van Amita en de eerste letter van Evelien.'

'Elke woensdag, donderdag en vrijdag staan we met ons tafeltje met de panelen eromheen op het grote plein. Mensen kennen ons al, ze komen soms een praatje maken, vragen hoe de zaken ervoor staan, of we al sokken gevonden hebben.

De moeder van Dirk maakt steeds reclame voor ons. Dus af en toe komen er moeders met kinderen via haar bij ons. We komen langs, we zoeken en soms vinden we ook echt de sok. Soms vragen we de detectivehond nog om hulp,' zegt Evelien.

'We weten niet wat die doet,' zegt Amita.

'Of die wat doet,' zegt Evelien, 'Maar als we een mail krijgen dat de sok gevonden is, dan is het ook zo.'

'Dat blijft heel wonderlijk,' zegt Amita, 'Nog geheimer dan het werk van de tandenfee.'

'We stellen ons AE vermistesokkenbureau vanavond voor het eerst open voor de kinderen van de camping,' zegt Evelien trots.

Samen met Amita zet ze de tafel neer met de stoelen. Zorgvuldig plaatsen ze alle borden eromheen. Ze wachten.

'Het is nu geen geheim meer,' zegt Amita.

'Jullie kunnen nu komen,' zegt Evelien.

35 Plan B

'We kregen de eerste reacties binnen op de posters,' zegt Timo.

'Van die telefoontjes die de Staatsloterij zelf ook al had gekregen,' zegt Wallace. 'Dat iemand het lot had gekocht, maar het kwijt was. Of wij het terug konden geven, zodat ze de prijs konden innen.'

'Toen ik zei dat we geen lot hadden, werd de man boos,' zegt Timo.

'Hij ook!' zegt Wallace en wijst breed lachend op Timo.

'Ja,' zegt Timo meteen verontwaardigd, 'Weet je wel wat hij tegen mij zei? Hij zei …'

Wing onderbreekt Timo. 'We kunnen ons er wel iets bij voorstellen.'

'In ieder geval duurde het gesprek daarna nog maar kort,' zegt Timo lachend.

'Eigenlijk zaten we op een enorm dood spoor,' zegt Wallace. 'Ons onderzoek had nog bijna niets opgeleverd en toch wilden we van de meiden winnen. We moesten iets verzinnen waar we de rest van onze tijd zinnig mee konden vullen.

Ik ging naar mijn caravan en keek naar mijn ouders. De hele dag door gingen er mensen bij hen zitten. Even kletsen, even lachen. In de ochtend schonken ze koffie, in de middag thee. Vanaf vier uur wijn en bier, of een borrel. Mijn moeder glimlachte de hele dag. Door het jaar heen als we allemaal werken of naar school zijn, doet ze dat veel minder.

Alles goed? vroeg ik toen ze de caravan in kwam om wat schone bekers te pakken.

"Ja," zei ze, "alles mag en er moet niks, heerlijk."'

'Ik kwam bij onze caravan,' zegt Timo, 'En toen ik er tien minuten zat, vroeg mijn moeder al: "Heb je niks te doen? Moet je niet naar Wallace? Moet je niet met die wedstrijd bezig zijn?"

Ik zei: Ik ben zo'n beetje klaar.

"Maar daar zou je toch de hele zomer druk mee zijn?" vroeg mijn moeder.

Ik zei: Ja, maar wij niet.

"Nou," zei mijn moeder, "dan ga je maar lekker naar het gewone animatieprogramma."

Dat mag niet, zei ik,' vertelt Timo, 'Ik moet met de geheime opdracht bezig zijn.

"Verzin dan maar wat, al is het onzin, want je gaat hier niet de hele tijd rondhangen, zoals andere jongens die te beroerd zijn om mee te doen met het programma. Dat gehang om mij heen, moet ik niet hebben," zei mijn moeder.

Ik stond op en liep naar Wallace toe,' zegt Timo. 'We zaten gewoon maar wat bij elkaar. De telefoon ging niet. Zomaar aanbellen in Rotterdam werkte ook niet echt. Meneer Verwoerd had het winnende lot niet. We moesten ons haasten, maar wisten niet met wat.

We liepen samen wat rond over het terrein. Het animatieteam was bezig met een grote groep kinderen, ze speelden slagbal. We keken een tijdje en liepen naar de washokken om even naar de wc te gaan. Daar hoorden we in de grote ruimte een ruzie ontstaan.

"Het is jouw schuld!" zei een woeste jongensstem.

"Nee, de jouwe!" schreeuwde een andere jongensstem, "Als jij niet altijd zo …"'

'Jullie snappen het wel,' zegt Wallace.

Wing staat op en strekt zijn hand uit naar het vuur dat blauw brandt en veel warmte geeft. 'Ga verder,' zegt Wing.

'Ze begonnen te vechten,' zegt Timo.

'En niet zuinig,' zegt Wallace. 'We wisten niet hoe snel we ze uit elkaar moesten halen. Twee jochies van een jaar of zeven, acht. Ze hadden elkaar helemaal tot moes geslagen zonder ons.'

'We vroegen wat er was,' zegt Timo. 'Het was een heel verhaal, maar het kwam erop neer dat ze zich verveelden en dat hun ouders niet wilden dat ze zich verveelden. Ze moesten eigenlijk meedoen met de activiteiten van het animatieteam, maar daar hadden ze geen zin in. Ze wilden niet om elf uur voetballen en om één uur turnen, maar zelf een beetje kijken.'

'Dat kwam mij bekend voor,' zegt Wallace lachend. 'Ik trok Timo even mee en besprak mijn idee. Het had niks te maken met onze opdracht. Het zou iedere dag van de rest van onze zomer in beslag nemen. Ik wist niet of we het konden. Timo luisterde goed naar mij en knikte. Jullie weten dat we meedoen aan de geheime opdracht? vroeg ik de jongens. Ze knikten. Jullie worden onze geheime opdracht, maar aan niemand verder vertellen, zei ik,' vertelt Wallace. 'Dan zijn wij nu jullie animatieteam. We gaan doen waar we zin in hebben, wanneer we er zin in hebben en we maken geen ruzie.'

'Ze hebben het heel goed geheim gehouden,' zegt Timo. 'Ik wil graag een applaus voor hen.' Er klinkt een zacht applaus.

'Zelfs nu vertellen ze niets,' zegt Wallace en klapt hard.

36 Inschrijven, inkerven

Voor de tafel van AE vermistesokkenbureau vormde zich een klein rijtje kinderen. Wing sneed ondertussen een prachtig ladekastje uit in de twee stokken van Amita en Evelien.

'Ik ben mijn gele sokken kwijt,' zegt een meisje.

'Alle twee?' vraagt Evelien.

'Ja,' knikt het meisje.

'Daar zijn we eigenlijk niet voor,' zegt Amita 'Maar omdat vanavond een bijzondere avond is, nemen we je opdracht toch aan.'

'Maat?' vraagt Evelien.

'Vijfendertig,' zegt het meisje.

'Kleur?' vraagt Evelien.

'Geel,' zegt het meisje.

'Waar verloren?' vraagt Evelien.

'Weet niet,' zegt het meisje, 'Het is wel deze vakantie gebeurd.'

'We gaan zoeken,' zegt Evelien, 'Op welke plaats sta je?'

Het meisje noemt het nummer.

'Als we 'm hebben, komen we naar je toe,' zegt Evelien.

De volgende in de rij is de grotere jongen.

'Ik ben een teensok kwijt, maar al sinds vorig jaar.'

'Dat is wel erg lang geleden,' zegt Evelien.

'Toch zou ik 'm heel graag terug willen, want ik heb van die andere sok een poppenkastpop gemaakt. En nu heb ik een toneelstukje bedacht voor in de poppenkast waarin een tweeling voorkomt, maar ik heb er dus maar één.'

'Dat is wel jammer, ja,' zegt Amita.

'En kun je ze niet een voor een laten opkomen?' vraagt Evelien.

'Dat doe ik nu,' zegt de jongen, 'Maar ik wil ze ook graag een keer samen hebben.'

'Leuk idee, trouwens om van één sok een poppenkastpop te maken,' zegt Evelien. Ze kijkt naar de panelen op zoek naar een plekje om het op te schrijven.

Amita noteert ondertussen alle feiten over de sok en belooft haar uiterste best te doen. Timo staat als derde in de rij.

'Ja?' vraagt Amita.

'Ik wil mij graag bij Evelien inschrijven.'

Amita knikt.

'Ja?' vraagt Evelien.

'Hallo Evelien,' zegt Timo een beetje schor.

'Dag Timo,' zegt Evelien zacht.

Terwijl de kinderen zich inschrijven is de kring rond het kampvuur drukker geworden.

Maar nu Timo tegenover Evelien staat, wordt het opeens stil, muisstil.

'Ik ben mijn sok kwijt,' zegt Timo, 'Zou jij 'm willen zoeken?'

'Ja,' zegt Evelien, 'Dat wil ik.'

En dan begint er opeens iemand te klappen. Iedereen gaat meedoen. Wing pakt de stok van Timo en de stok van Evelien. Heel rustig en secuur snijdt hij in beide stokken een hart.

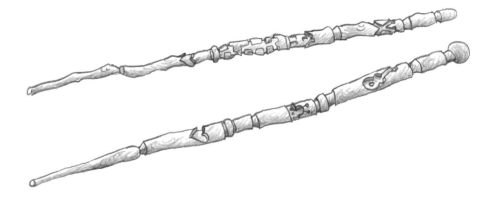

88

37 Toeval

'De rest van de vakantie voetbalden we als we zin hadden, of visten of luierden,' zegt Wallace.

'Met een clubje van ongeveer zes jongens,' zegt Timo. 'We hebben nogal wat ruziemakers uit elkaar gehaald. Maar zelf hebben we geen ruzie meer gehad. Nou, ja, zo'n beetje niet meer. Wel eens een woordenwisseling, maar niet meer vechten. Dat gaan we ook niet meer doen.'

'Nooit meer,' zegt Wallace, 'Ik ben toch veel sterker.'

Timo wil boos opstuiven, maar herstelt zich en lacht.

'We zijn met de hele groep in auto's naar Rotterdam geweest,' zegt Timo. 'Wing en Jimmy reden ons. We kamden nog een keer een heel stuk van een buurt uit, de winnaar moest gevonden worden!'

'Dat was tegen de regels,' zegt Wallace, 'Want we mochten maar één volwassene om hulp vragen. Misschien willen jullie ons diskwalificeren.'

'Maar,' zegt Timo, 'We hebben de jongens niets verteld over onze opdracht, alleen gevraagd om aan de deur te vragen of mensen staatsloten in huis hadden die nog gecontroleerd moesten worden.'

'Als dat zo was en mensen zochten ze op, kwamen Timo en ik in beeld en handelden wij de rest af,' zegt Wallace. 'Misschien vermoedden ze wel wat, maar wij hebben ze zelf niks verteld.'

'Wij vinden dus dat we de regels wel hebben gebogen, maar niet hebben gebroken,' zegt Timo. 'Een van de jongens belde opnieuw aan bij Paul. Jullie weten wel, die donkere, aardige man die een half adres van meneer Verwoerd had en hem de prijs toewenste, omdat hij dan zeker een paar rondjes zou geven.

Eigenlijk hoefden we Paul niet meer te spreken, maar toen er aangebeld was, wilden we niet wegrennen. Paul deed open en keek blij verrast.

"Wat goed dat ik jullie zie," zei hij, " jullie raden nooit wie mij heeft gebeld."

We wachtten tot hij het vertelde,' zegt Timo.

'"Meneer Verwoerd, hij wilde jullie dringend spreken."

'Ik vroeg: Waarom? zegt Wallace, 'Ik moet toegeven dat ik heel nieuwsgierig was.

"Kom binnen en gebruik mijn telefoon," zei Paul, "Meneer Verwoerd zei alleen maar dat jullie NU naar hem toe moesten komen."

Timo en ik belden hem op met de zenuwen in ons lijf,' zegt Wallace.

38 Onverwacht

'Jullie zijn,' zegt Wing tegen de meiden.

'Wij zijn klaar,' zegt Amita.

'We kunnen het lied nog wel een keer zingen,' zegt Evelien. 'Het sokkenlied.'

'Nee, wij gaan verder,' zegt Wallace, 'Wij hebben nog belangrijke dingen te vertellen.'

'Vinden jullie het goed?' vraagt Timo.

De meiden knikken.

'Onze jongens konden niet mee, die bracht Wing terug naar de camping,' vertelt Wallace, 'Jimmy reed ons naar meneer Verwoerd.'

'Hij wachtte ons op,' zegt Timo.

'"Ga zitten," zei meneer Verwoerd en hij stak een sigaret op. Het viel mij op dat zijn handen trilden,' zegt Wallace. 'Timo en ik werden er meteen zenuwachtig van.

"Ik heb jullie laten komen voor iets belangrijks," zei meneer Verwoerd, "Ik kon dat niet door de telefoon zeggen, dus vroeg ik jullie te komen. Tussen de spullen van mijn dochter vond ik een staatslot. Ik had het voor haar meegebracht toen ik haar enkele dagen voor haar dood bezocht. Ik heb het na laten kijken."

Er viel een diepe stilte,' zegt Wallace.

'Die duurde uren,' zegt Timo.

'"Misschien raden jullie het al," zei meneer Verwoerd toen, "Ik kan nu alles laten verbouwen. Alles precies zo laten maken als ze zelf altijd wilde doen." Hij begon te huilen. Timo en ik bewogen niet, konden niet bewegen. "Neem mij niet kwalijk," zei meneer Verwoerd, en hij veegde zijn tranen af, "ik ben blij en droevig tegelijk."'

'We bleven eten,' zegt Timo, 'Zo konden we niet weggaan.

Meneer Verwoerd werd steeds iets vrolijker. Hij vertelde dat hij één dag voor het lot zou vervallen in actie kwam. Net op tijd dus, door ons, volgens hem. We praatten over zijn dochter, over Rotterdam, over onze opdracht en de camping. Toen we weggingen wilde hij ons een envelop geven. Met geld, omdat wij hem op het spoor hadden gezet.'

'We hebben het niet aangenomen,' zegt Wallace. 'Wel zeiden we dat het animatieteam het geld goed kon gebruiken, dan konden we volgend jaar met de hele camping naar een pretpark of zoiets. "Dat regel ik," zei hij.'

39   Vragen?

Er heerste een diepe stilte in de kring. Het vuur brandde laag en rustig. Iedereen leek in gedachten. Wing nam het woord.

'We zijn bijna aan het einde gekomen van deze avond. Een avond om nooit te vergeten. Dat kunnen we nu al zeker stellen. Straks gaan Jimmy en ik ons terugtrekken om na te denken en te beslissen wie de winnaar moet worden. We hebben daar warme chocolademelk staan voor wie wil.'

'Vragen?' vraagt Jimmy.

'Dus hij heeft een half miljoen euro gewonnen?' vraagt Katinka.

'Dat klopt,' antwoorden Timo en Wallace tegelijk.

'En waarom moest hij dan huilen?' vraagt Katinka, 'Ik zou heel erg blij zijn!'

'Je kunt ook huilen van blijdschap,' zegt Timo.

'Echt?' vraagt Katinka. Ze ziet eruit of ze zelf ieder moment kan gaan huilen.

'Echt,' zegt Wallace.

'Maar hij huilde ook van verdriet,' zegt Timo.

'Dat snap ik niet, hij is toch rijk?' vraagt Katinka.

'Jawel,' zegt Timo,'maar hij is ook zijn dochter kwijt en het geld was eigenlijk van zijn dochter, die had het gewonnen, snap je?'

Katinka knikt aarzelend.

'Nog meer vragen?' vraagt Jimmy.

De kring blijft opvallend stil. Iedereen lijkt in zijn eigen gedachten verzonken.

'Zijn jullie nog naar de tabakswinkel geweest?' vraagt de grotere jongen uiteindelijk.

'Ja, we wilden hem vertellen wie het geld echt gewonnen had,' zegt Wallace.

'Hij vond het leuk dat we gekomen waren,' zegt Timo, 'Hij stond erop de fles champagne die hij koel had staan, open te trekken.'

'We riepen Jimmy erbij en die dronk een glaasje mee. Ik voelde al die bubbels meteen naar mijn hoofd gaan,' zegt Wallace.

'Ik had de volgende dag hoofdpijn,' zegt Timo, 'Maar de winkelier bedoelde het goed. Hij was niet verbaasd dat het winnende lot door meneer Verwoerd was gekocht. Hij gelooft heel erg in zijn dromen.'

'Zijn er nog meer vragen?' vraagt Wing, 'Voor de meiden misschien?'

'Hebben júllie nou die sok van Dirk gevonden of de detectivehond?' vraagt Katinka.

'Ik weet het echt niet,' zegt Evelien.

'Maar ik vind het niet belangrijk meer,' zegt Amita.

'Ik ook niet,' zegt Evelien.

'Maar ik wel,' zegt Katinka. De kring lacht.

'We weten het niet en zullen het nooit weten, denk ik,' zegt Amita.

40 De prijzen

'De prijzen die jullie kunnen winnen vanavond zijn niet mis,' zegt Wing.

'Jullie hebben het niet om de prijzen gedaan, want jullie wisten niet wat jullie konden winnen,' zegt Jimmy.

'Dat vonden wij belangrijk,' zegt Wing, 'Je moet niet alleen maar iets willen doen om een prijs.'

'Je moet iets willen doen om de actie zelf,' zegt Jimmy.

'Maar ik ga jullie nu vertellen wat de prijzen zijn,' zegt Wing, 'Allereerst, een stok die hout snijdt.'

Hij houdt de vier stokken losjes in zijn handen.

'Allemaal je eigen verhaal, je eigen belevenis, altijd bij de hand.' Er klinkt applaus.

'Verder krijgen de winnaars ieder een luxe mp3-speler,' gaat Wing verder.

Nu word er keihard geklapt.

'En zij mogen met tien mensen naar keuze pannenkoeken komen eten in de tipi,' zegt Jimmy.

Evelien en Timo kijken even snel naar elkaar en knikken bijna ongemerkt.

'Als troostprijs bieden wij voor zes kinderen ijs aan,' zegt Jimmy, 'Voor de tweedeprijswinnaars.'

'Maar er hoeft eigenlijk niemand getroost te worden, want jullie hebben alle vier een fijne zomer gehad met de geheime opdracht, toch?' zegt Wing.

Vier hoofden knikken.

'Mooi,' zegt Wing tevreden, 'Kom Jimmy, we gaan in beraad.'

Jimmy staat op en loopt naar Wing toe.

'Neem drinken,' zegt Wing, 'Vermaak je even.'

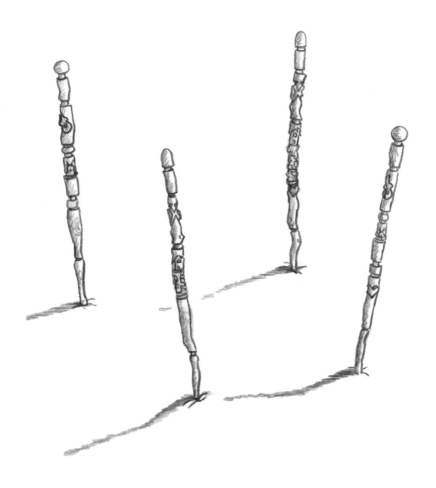

41 Wachten

Iedereen drinkt chocolademelk, lekker heet. Een enkel kind begint moe te worden. En eentje ligt er onder een deken op de schoot van een ander zelfs al te slapen.

'Waarom deden jullie mee?' vraagt de grotere jongen.

'De vrijheid,' zegt Wallace.

'Het avontuur,' zegt Timo.

'De samenwerking,' zegt Amita.

'De gezelligheid,' zegt Evelien.

'Wie denken jullie dat er wint?' vraagt de jongen.

'Geen idee,' zeggen Evelien en Amita bijna tegelijk.

'Dat moeten we maar gewoon even afwachten,' zegt Wallace.

'We hebben het allemaal wel goed gedaan, denk ik,' zegt Timo.

'Hoelang zijn ze nu al weg?' vraagt Katinka.

'Bijna een uur,' zegt de grote jongen.

'Wat duurt het lang,' zegt Katinka.

'Zullen we zingen?' vraagt Amita, en ze pakt haar gitaar.

Gisteren was alles oké
Ik trok mijn sokken aan
Het waren er gewoon twee

Refrein

Mijn sok is weg
Ik moet bijna huilen
Mijn sok is weg
Wat raar is dat

Mijn sok is weg
Pas had ik hem nog
Mijn sok is weg
Ik wou dat ik 'm had.

Vandaag heb ik er één
Wat heb je daaraan
Dan heb ik er liever geen

Al snel kent iedereen de tekst en de melodie, en zingt de hele kring het lied luidkeels mee. Zo duurt het wachten minder lang, want dan staan toch nog vrij onverwacht Wing en Jimmy weer voor hun neus.

'We hebben de uitslag!' zeggen ze.

42 Wie wint de geheime opdracht?

'Goed,' zegt Wing, 'We hebben het moeilijk gehad.'

'Dat kun je wel zeggen,' zegt Jimmy.

'Daarom duurde het zo lang,' zegt Wing, 'Kijk, de meiden hebben een gedegen project gedaan. Ze hebben een lied gemaakt, panelen beschilderd, ze zijn op stap geweest, hebben een bureau opgezet, op internet gezocht en echt iets betekend voor mensen. En dat gaat ook straks nog door. Bovendien hebben ze prima samengewerkt en zich aan de regels gehouden. Ze zouden moeten winnen.'

'De jongens hebben aan de opdracht veel minder tijd besteed, ze kregen ruzie, ze verbogen of verbraken de regels, maar ze vonden wél de winnaar van de half miljoen euro en ze begonnen zelfstandig een clubje voor jongens zoals zijzelf. Dat hebben ze ook goed volgehouden, dus,' zegt Jimmy, 'Om die reden konden wij met geen mogelijkheid een groepje als winnaar aanwijzen.'

'We probeerden dat wel de hele tijd,' zegt Wing, 'Dan zei ik: we nemen de meiden, ze hebben het het beste gedaan.'

'Maar dan zei ik weer, en de jongens dan?' zegt Jimmy.

'Jullie hebben dus alle vier gewonnen,' zegt Wing, 'Gefeliciteerd!'

Evelien en Amita omhelzen elkaar. Timo en Wallace maken een stoer handgebaar. De kring gaat helemaal uit z'n dak. Geweldig, vier winnaars!! Dat had niemand verwacht.

'Alleen hadden we toen ook een probleem,' zegt Wing.

'Een uitdaging,' zegt Jimmy.

'Onze geheime opdracht was om te zorgen dat we vier luxe mp3-spelers konden regelen,' zegt Wing.

'En dat viel eerst niet mee,' zegt Jimmy.

'Maar het is ons gelukt,' zegt Wing.

'Vraag niet hoe,' zegt Jimmy.

'Hoe?' vraagt Katinka.

De kring lacht hard.

'Dat is dus geheim,' zegt Jimmy.

'Als jullie eens even hier naast elkaar gaan staan,' zegt Wing, 'Dan beginnen we met de officiële prijsuitreiking.'

De stemming verandert, iedereen is stil.

'Evelien en Amita, willen jullie naar voren komen,' vraagt Jimmy.

Ze stappen samen naar voren. Wing geeft de stok, het platte pakje en een bon waarop staat dat ze pannenkoeken mogen komen eten. Iedereen klapt.

'Timo en Wallace, willen jullie naar voren komen,' vraagt Jimmy.

Ook zij krijgen hun stok, het platte pakje en de pannenkoekenbon. En een welverdiend applaus.

'Dat was het dan!' zegt Wing, 'Wij gaan uitrusten.'

Timo staat op: 'Wacht nog even, ik wil jullie alle twee hartelijk bedanken voor jullie hulp, jullie hebben zoveel gedaan.'

'Kun je dat nog één keer zeggen?' vraagt Wing.

Iedereen lacht.

'Volgend jaar weer?' vraagt Amita.

'Willen jullie dat?' vraagt Wing, 'Een nieuwe geheime opdracht?'

'Jaaaaa,' roepen de kinderen heel hard.

'Doen er dan meer kinderen mee?' vraagt Jimmy.

'Jaaaa,' roepen de kinderen nog harder.

'Tot volgend jaar dan!' zegt Wing.

'Ja, tot volgend jaar!' zegt Jimmy.

Andere boeken uit de serie NIEUWS!

Een wereldsmoes!

Er schijnt een poema op de Veluwe rond te lopen. Gevaarlijk!
De regionale krant bericht er bijna dagelijks over.
De nieuwslezer op televisie houdt het luchtig en maakt een ingewikkeld grapje over poema's en komkommers. Valentina's vader ligt helemaal in een deuk, maar zijzelf blijft zwijgend naar het scherm staren. Hoe is het mogelijk, denkt ze. Hoe kan het nou dat een onschuldig smoesje zelfs het achtuurjournaal haalt?

Hans Kuyper heeft een speciale interesse voor raar nieuws, zoals de berichten over de poema op de Veluwe! Het dier hield Nederland wekenlang in zijn greep. Terecht of niet? Lees dit boek maar!

Groeten van Terschelling

Tijdens een storm verliest een vrachtschip 59 containers.
Die nacht spoelen op Terschelling een half miljoen schoenen aan.
Voor Lucia is het een droom die uitkomt. Ze is twaalf en gaat na
de vakantie naar de brugklas. Tot nu toe maakte haar moeder haar
bijzondere kleren zelf, maar Lucia wil voortaan onopvallende
merkkleding dragen.
Ze vindt een heleboel sportschoenen op het strand. Nu heeft ze alleen
nog geld nodig om de
rest van haar kleding aan te schaffen. Samen met Lennart begint ze een
handeltje in flessenpost.

*Annemarie Bon las het bericht 'Schoenen zoeken' in de krant en ging op
onderzoek uit op Terschelling.*
Daarna schreef ze dit zomerse verhaal vol schoenen!

ff dimmen!

Thijs kijkt naar de krant op tafel.
'PESTEN OP INTERNET' staat er groot.
Daar weet ik alles van, denkt hij. Gelukkig kun je een computer uitdoen.
Maar vanaf morgen komt Isa een tijdje bij ons wonen. Als zij nou ook zo'n gemene pestkop is?
Thijs slikt. Wat erg! Dan ben ik zelfs in mijn eigen huis niet meer veilig ...

Els Rooijers las het nieuwsbericht 'Pesten op internet'.
Het liet haar niet meer los. Ze schreef er een spannend verhaal over.

Teuntje Knol
en de knotsgekke honden

Teuntje Knol is een stoer meisje. Ze schaamt zich dood voor haar moeder. Die heeft een warenhuis vol tuttige hondenspulletjes en is dol op van die schattige schoothondjes. Wat is de nieuwste mode voor honden?
Een belangrijke vraag voor de moeder van Teuntje!
Nu is er een hondenshow op komst. De moeder van Teuntje heeft het er maar druk mee. Het mopshondje van mevrouw Paddeburg doet namelijk ook mee en de dames doen er alles aan om elkaars hondje te laten verliezen.
Dan wordt het tijd voor Teuntje om in actie te komen ...

Sanne de Bakker las in de krant het bericht 'De nieuwe kledinglijn voor honden'. Het sprak haar meteen aan. Met dit nieuwsbericht begint dan ook haar knotsgekke verhaal.

Julia's droom

Julia Coolen wordt 'ontdekt' op de uitvoering van haar toneelvereniging.
Henk Breen heeft een bedrijfje in feestartikelen gekocht.
Een miskoop: een loods vol troep, meer is het niet.
Ralf Terlingen wordt op een dag zó ziek dat zijn vader
hem van school moet ophalen.
Wat hebben deze mensen met elkaar te maken? Niets.
Ze zouden ook nooit iets met elkaar te maken krijgen als ze niet
toevallig tegelijkertijd op een grote rotonde reden ...
En in een kettingbotsing terechtkwamen.

Bies van Ede las het bericht 'Botsing bij Rottepolderplein'
in de krant en bedacht dat een botsing naast narigheid
misschien ook wel iets leuks kan opleveren. Lees dit boek maar!